伍迪艾倫幽默故事集 IV

MERE ANARCHY

亂了套

伍迪艾倫——著

李伯宏——譯

目錄

迪士尼超級訟案 5
犯錯是人之常情，升空是神之法力 15
印度綁票 29
老兄，你的褲子太香了 45
筆墨出租 61
導演定本 75
至愛保母 91
奪命的味蕾 103
吾主榮光，賣了！ 115

當心，墮落的巨擘 127
拒之門外 145
維也納蛋糕也歌唱 155
裝修錢坑 169
天才們，請注意：只收現金！ 183
線性理論 195
法律之上，床墊之下 201
查拉圖斯特拉如是吃 211
牙醫凶殺案 219
推薦文
總在千鈞一髮之際得救；或者被推下懸崖／陳德政 229

迪士尼超級訟案

Surprise Rocks Disney Trial

華特・迪士尼公司股東控訴離任總裁麥克・奧維茨資遣費一案[1]，今天突爆轉折。法庭上出現了一位誰也沒料到的證人，作證回答娛樂界巨擘迪士尼公司辯護律師的提問。

---

1 麥克・奧維茨（Michael Ovitz）原為創新藝人經紀公司（CAA）高階主管，一九九五年應迪士尼執行長麥克・艾斯納之邀，擔任迪士尼總裁。一九九六年被解雇時，迪士尼應允支付一億四千萬美元的資遣費，遭到股東反對及控訴。此案一直纏訟至二〇〇五年，最後由麥克・奧維茨勝訴。本文即以此訟案為背景創作。

律師：證人請向法庭通報姓名。

證人：米老鼠。

律師：請向法庭通報職業。

證人：動畫老鼠。

律師：你和麥克．艾斯納[2]是否過從甚密？

證人：談不上過從甚密。我們吃過幾次飯。有一次他和他夫人請米妮和我到他家作客。

律師：你和他是否談過公事？

證人：艾斯納先生與羅伊．迪士尼[3]、布魯托和高飛狗共進早餐時，我也在場。

律師：早餐是在哪裡？

證人：在比佛利山飯店。

律師：是否還有其他證人？

證人：史蒂芬．史匹柏走到桌前打過招呼。噢，還有達菲鴨。

律師：你認識達菲鴨？

證人：幾個月前，達菲鴨和我在蘇．曼潔斯[4]家裡吃飯認識的，後來關係很好。

律師：我認為艾斯納先生不贊成你與達菲鴨來往[5]，對嗎？

證人：我們曾為此爭論過幾次。

律師：最後怎樣？

證人：達菲鴨後來加入山達基教，我就不再和他來往了。

律師：請回到早餐一事。你是否記得談了什麼？

---

2 麥克．艾斯納（Michael Eisner）：迪士尼執行長（1984-2005）。

3 羅伊．迪士尼（Roy E. Disney，1930-2009）：迪士尼公司董事，創辦人華特．迪士尼之侄。

4 蘇．曼潔斯（Sue Mengers，1932-2011），好萊塢名經紀人。

5 達菲鴨（Daffy Duck）是華納兄弟的動畫角色，與米老鼠隸屬不同陣營。

證人：艾斯納先生說，他計畫聘用創新藝人經紀公司的麥克・奧維茨。

律師：你怎麼看？

證人：我感到吃驚，但布魯托更吃不消。他好像很沮喪。

律師：為什麼沮喪？

證人：我們擔心的是奧維茨先生與高飛狗更密切，布魯托覺得他出鏡時間可能會減少。

律師：也就是說，你知道奧維茨先生與高飛狗之間的「特殊關係」？

證人：我知道奧維茨先生做經紀人時曾經招攬過高飛狗，而且要是我沒記錯，他們兩人在亞斯本[6]共同擁有一棟房子。

律師：他們之間是否有更密切交往？

證人：高飛狗在馬里布被抓包時，是奧維茨先生挺著他。

律師：高飛狗是不是吸毒？

證人：他服用伯可酮[7]上癮。

律師：他上癮有多長時間了？

證人：自從一部他擔綱的卡通失利後，他就離不開止痛藥了。他撐著一把傘從帝國大廈跳下來，摔傷了後背。

律師：然後呢？

證人：奧維茨先生將高飛狗送進了貝蒂．福特中心[8]。

律師：你是否告訴過艾斯納先生，你對他計畫聘用奧維茨先生有點擔憂。

證人：米妮和我談過這件事。我們知道他們合不來。

---

6 亞斯本（Aspen）：位於科羅拉多州的滑雪小鎮，美國人最喜愛的度假勝地之一。

7 伯可酮（Percodan）：一種強力止痛藥，容易上癮。

8 貝蒂．福特中心（Betty Ford Center）：美國治療藥物濫用的權威機構，位於加州。

律師：除了尊夫人，你還跟誰說過此事？

證人：小飛象，小鹿斑比，記不清了。噢，還有小蟋蟀。是在芭芭拉．史翠珊家裡。小蟋蟀在特朗卡買了房子，史翠珊為他舉辦了一次聚會。

律師：結果呢？

證人：小飛象認為唐老鴨應該告訴艾斯納先生我們的擔憂，因為艾斯納先生總是聽唐老鴨的。他曾說過唐老鴨「是他見過的最深沉的鴨子」。他倆在唐老鴨的池塘度過許多時光。

律師：他們的關係是不是有來有往？

證人：是的。唐老鴨和黛絲鴨分居後，在艾斯納先生家裡住了六個月。唐老鴨與豬小弟的女朋友豬小妹偷情。可是迪士尼絕不允許旗下角色與其他製片廠的角色交往，但對於唐老鴨，艾斯納先生卻睜一隻眼閉一隻眼，這讓股東很不滿。

律師：這就是你在證詞中提到的那件事？

證人：對。這件事我記不大清楚了。但我覺得，唐老鴨是在卡森伯格[9]家裡認識豬小妹。

律師：當時你也在場？

證人：在場。當時有我、湯姆・克魯斯、湯姆・漢克斯、傑克・尼克遜。我記得還有西恩・潘、威利狼、飛毛腿……

律師：湯姆貓與傑利鼠呢？

證人：沒有，那個週末他們在劇團工作室劇場。

律師：六個月後，卡森伯格先生和艾斯納先生捲入一場訴訟。你記得詳情嗎？

證人：這與艾斯納先生有關。他答應兔寶寶如果跳槽到迪士尼，就

9 卡森伯格（Jeffrey Katzenberg）：好萊塢電影製片人，夢工廠執行長。

給他股票期權。

律師：兔寶寶去了？

證人：沒去。他有自己的主見。當時他想休假一年寫本小說。

律師：回頭說那次聚會，你記得後來怎樣了？

證人：記得。唐老鴨喝醉了，開始跟妮可・基德曼調情。這太讓人尷尬了，當時她和湯姆・克魯斯還是夫妻。我記得唐老鴨很憎恨湯姆，覺得湯姆要什麼角色，就得到什麼角色。還記得艾斯納先生也在場，他把唐老鴨叫了出去，好讓他冷靜下來。

律師：後來怎樣了？

證人：在卡森伯格先生家的草坪上，唐老鴨見到豬小妹，覺得她長得美，能來電。我知道他們喜歡同樣的音樂。唐老鴨的情緒管理總是有問題，多年來一直服用百憂解，因為他認為自己的職業生涯快完了，很快會懸吊成為廣東菜的佳餚。儘管艾斯納先生好言相勸，他還是開始私會豬小弟的女友。

律師：就你所知，這段情事持續多長時間？

證人：大約一年。豬小妹告訴唐老鴨，她不能再來見他了，因為她深深地愛上了華倫·比提，而比提也深愛上了她。假如你還記得，比提曾帶她參加坎城影展。

律師：黛絲鴨是否曾把唐老鴨趕出家門？

證人：是。艾斯納先生讓唐老鴨住在他家，直到唐老鴨和黛絲鴨最後同意重歸舊好，但在性關係上不約束對方。

律師：就是說，根據你的回憶，是否曾有人告訴艾斯納先生，聘用奧維茨先生可能不合適？

證人：在奧斯卡頒獎典禮當晚，我與小木偶談過。但他不想參與此事。

律師：你是說，小木偶或是任何其他人，都沒提醒艾斯納先生，他和奧維莰先生可能合不來。

證人：就我所知是如此。

律師：對於解職奧維莰先生所需支付的一億四千萬元資遣費，奧維莰先生是否覺得太過火了？

證人：我只知道，小蟋蟀常常坐在奧維莰先生的肩上告誡他，永遠遵從自己的良知。

律師：結果呢？

證人：後來的一切，大家都知道了。

律師：謝謝證人。

犯錯是人之常情，升空是神之法力

To Err Is Human—to Float, Divine

氣喘吁吁之中，我的人生像書中的花邊插圖，連成惆悵的一串，從眼前閃過。幾個月前，我發現自己快被海嘯般的垃圾郵件淹沒了。每天早上吃完燻魚，這些信就從門上的信孔裡傾瀉而入。多虧格倫黛，我那位華格納風格的清潔女工，聽到一陣低沉的嗓音從一堆畫展邀請函、慈善催命信，還有我贏的各類大獎通知底下傳來，才借助吸蟲器[10]把我解救出來。我正在認認真真按照字母順序，把新來的郵件送進碎紙機，忽

10 吸蟲器（bugsucker）：用來捕捉蟲子的工具，類似吸塵器。

然見到，在兜售餵鳥器、乾果蜜餞的林林總總商品目錄中，有一本不請自來的小雜誌，名字醒目，叫「魔力組合」，顯然是針對「新世紀」市場的。內容從水晶的法力、全身心理治療到通靈震顫法，五花八門，還介紹養蓄靈氣的方法、愛情與壓力的關係，以及若想轉世，應該去哪裡申請、該填哪些表格。這些廣告看上去措辭謹慎，並不像反詐騙警察處理的案件那樣不合情理，裡面賣的有「電離子治療器」、「水旋加能器」，另有一種產品叫「草藥豐胸」，專門為了讓富態婦人的兩枚香瓜更加豐滿。此外自然也少不了靈媒的建言，像「直覺通靈師」，她會憑藉「七星合一天使團」之力透視世界；或是「受洗寶貝莎琳娜」，她能「理順你的能量，喚醒你的DNA，招財進寶」。當然了，在靈魂深處的探訪之旅結束後，付上一小筆報酬貼補郵票費用，或是這些大師在另一生命維度可能的開銷，也不為過。然而其中最讓人吃驚的人物，要數「哈氏地球人升天運動」創始人和神聖領袖。這位自封的女神，眾信徒稱呼她佳布麗．哈瑟，廣告寫手稱她「以人的形體，顯現神靈的全能」。這位偶像來自西岸，她告訴我們：「因果報應正在加速實現……地球進入了精神上的冬季，將持續四十二萬六千個地球年。」考慮到漫長的冬天有多麼難挨，哈瑟女士創辦了一個運動，引導人們升上「更高的頻率層次」，估計屆時人們將可以多出出門、打打高爾夫球了。

「升到半空、瞬間易位、全知全能、隱形逍遁等，都會成為人們日常具備的能力」，這位生意人大誇海口招攬說：「升上高頻率層次，可望見低頻率的人；而低頻率的人，卻瞧不見高層次的人。」

某位叫作「星月神女」的佳人給予了熱情推薦。不過，要是上手術台之前告訴我，我的大腦手術醫生叫此姓名；或是登機之前告訴我，飛機駕駛員叫這個名字，我會驚愕得沒完。要成為哈女士運動的追隨者，必須經歷「令人羞辱的過程」，這是每日化解自我、調高頻率的活動中的一項。拿現金付費，令人不屑。不過，要是表現得謙卑忠孝，做點有益的勞動，便可以賺得一張床位，一盤有機綠豆，與此同時，也增加些意識，或是失去些意識。

我之所以提到所有這些，是因為當天稍後，我在哈馬契．施勒姆直銷產品專門店裡猶猶豫豫，浪費時光，不知是買鴨汁壓榨機，還是買世上最精緻的手提式斷頭台；出來時，正像鐵達尼號撞上冰山一樣，碰上了在大學認識的馬克斯．恩多菲恩。他已經中年發福，眼睛如同鱈魚，禿頂上的假髮擺弄得中間鼓起，足能以假亂真，看似龐巴度頭式樣。他使勁握著我的手，開始講述最近遇到的好運氣。

「怎麼說呢？小伙子，我發了。我聯繫上了內心深處的精神自我。從此以後，我肥了。」

「願聞其詳，」我說道，第一次注意到他一身訂做的漂亮行頭，還有小拇指上像瘤子一樣大的戒指。

「我想，我真不應該跟一個低頻率上的人閒聊，但既然我們以前就認識了——」

「頻率？」

「我是說層次。我們這些在高八度的人被告誡，不要在你這等凡俗的類人猿身上浪費健康的離子——你別介意。不是說我們不研究，不瞭解低等形態——這得多虧列文虎克[11]，你懂我的意思嗎？」突然，恩多菲恩露出老鷹抓獵物般的本能，扭頭盯上一位兩腿修長、穿著超短迷你裙、正焦急地尋找計程車的金髮美女。

「神靈顯現，噘著小嘴的人間極品，」他說，口水如泉湧。

「一定是個雜誌插頁上的美女，」我叫了起來，忽然有中暑的感覺，「看她那透明的襯衫。」

「看著，」恩多菲恩說著，深吸了一口氣後開始上升。看著在哈馬

---

11 列文虎克（Leeuwenhoek，1632-1723），荷蘭科學家，微生物學之父。

契・施勒姆商店前懸浮一英尺的他，我和那位七月最佳小姐都很驚訝。這位甜美的尤物一面尋找鋼絲，一面把香軀湊了過去。

「嘿，你是怎麼升起來的？」她嬌嗔地問。

「拿著，這是我的地址。」恩多菲恩說，「今晚八點以後我在家。來串個門。我很快就能讓妳的腳升離地面。」

「我帶瓶紅酒來。」她輕柔地說，把他們相會的資料塞進乳溝，搖擺身姿走開了。恩多菲恩也慢慢降回地面。

「怎麼回事，」我說，「你成了胡迪尼？」

「噢，」他嘆口氣，擺出一副好心腸，「既然我屈尊跟一個小蟲子說話，那就實話告訴你吧。我們先到大舞台食品店消滅些點心，我來接受你的覲見。」說著，他就呼的一聲不見了。我就像傑許姐妹[12]一樣，倒抽了口氣，張大口，用手捂住嘴。過幾秒鐘他又出現了，有點悔悟。

「對不起，我忘了你們低層人不會隱身，不會易位。是我不對。我們走。」我不知是醒是夢，還在捏著自己時，恩多菲恩已經講起他的經歷。

「好吧，」他說，「六個月前，恩多菲恩夫人的小兒子馬克斯因為一連串的艱辛磨難，情緒波動，要是再加上遺失的那頂貝雷帽，情況簡直比約伯還要苦難深重。先說台灣來的那個好運餅乾，我教她解剖水力學，她竟為了餡餅店的學徒拋棄我。然後，我因為把捷豹倒車開進基督教科學派閱覽室吃了官司，賠上許多鈔票。這還沒完，我前次婚姻慘劇留下的一個兒子，放棄賺錢的法律行業成了一名腹語表演者。所以我心灰意冷，在城裡遍尋存在的理由，尋找精神支柱，忽然間，不知從哪冒出來，我在最新一期的《顫動畫報》上看到一則廣告。一個類似水療館的地方，能把你的業障吸走，把你提升到高頻率，讓你能像浮士德

12 傑許姐妹（Gish sister）：早期默片明星。

一樣掌控大自然。通常我都很精明老到，不會被這類招數騙了，可是我查明了那位執行長確實是個肉身顯現的女神，我盤算著：能有什麼損失呢？況且又不收費。他們不要現金。他們的系統基本上是某種奴隸制的變體，但作為回報，你能得到水晶，獲得法力，還有打包不完的聖約翰草[13]。噢，我還沒說，她會羞辱你。可是這是療程的一部分。所以，她的奴僕們會把我的床弄亂，趁我不注意，把一條驢尾巴黏在我褲子後面。確實，有一段時間我成了笑柄。但是，跟你說吧，我的自我意識化解了。忽然間我明白過來，我回到了前世。先是個簡簡單單的鎮長，之後是老盧卡斯．克拉納赫[14]……噢，我忘了，也許是小盧卡斯。不管他，再往後，我醒來時正躺在硬木板上，我的頻率上了高層。我後腦勺罩上了光環。我成了全知全能。我是說，我馬上就在貝爾蒙特賽馬場連贏兩次；不到一個星期，我在拉斯維加斯的貝拉吉奧賭場一出現，就吸引眾人的目光。要是拿不定哪匹賽馬，或是打撲克牌時拿不定主意進牌還是持牌不動，就有一群天使幫我出主意。我是說，並不是誰長了翅膀，由神秘物質組成，就不能賭馬使詐。數一疊疊鈔票。」

恩多菲恩從每個口袋裡掏出好幾疊千元大鈔。

「噢，噢，抱歉，」他說，忙著接住他掏出大把鈔票時，從口袋裡掉出來的一些紅寶石。

「這些服務，她不要任何報酬嗎？」我問，我的心就像展翅的老鷹。

「呵，你呀，塵世凡人都這麼問。人家是大派頭。」

那天夜裡，儘管家中女人胡亂詛咒，還打電話給施萊克父子律師事務所所，查詢我們的婚前協議是否包括了突然患上早發型痴呆，但我還是朝著西邊飛往「莊嚴升天寺」，在那裡，安居著一個聖靈，一位像是

---

13 聖約翰草（Saint-John's-wort），又稱金絲桃，一種據說能治療抑鬱症的草藥。

14 老盧卡斯·克拉納赫（Lucas Cranach the Elder，1472—1553），德意志文藝復興時期的畫家。

會在好萊塢弗雷德里克內衣專賣店裡見到的女孩、名叫「熱浪星系」的夢幻佳人。我被引進聖殿，一個與曼森[15]的斯班牧場詭異地類似的荒廢農場。她放下磨指甲的小銼刀，坐到沙發上。

「歇一會，親愛的，」她對我說。那口氣不大像瑪莎．葛蘭姆，倒像愛麗絲．阿德里安[16]。「就是說，你想跟靈魂深處搭上線。」

「是。我想讓我的頻率調高點，能升高，易位，隱形，還想全知全能，足以事先測到紐約州毫無規律的彩券中獎號碼。」

「你是做什麼工作的？」她詢問。對她這樣有君王之風的神明來說，這問得有點奇怪無知。

「在蠟像館守夜，」我回答，「但不像說的那樣有充實感。」

她轉向圍在身邊、手持棕櫚葉蒲扇的努比亞人，朝其中一個說：「你說呢，小伙子？看起來他做個勤雜還不錯。也許負責糞池吧。」

「謝謝，」我一邊說，一邊跪下來，臉貼著地面，十分謙卑。

「好啦，」她拍拍手。她的忠實奴僕們從簾子後面，排成隊形急匆匆走出來。「給他一個盛飯的碗，把頭剃了。要是沒有空床，就讓他跟雞群睡在一起。」

「悉聽尊便，」我細聲細語地說，不敢直視，生怕看中暑小姐一眼，就會打擾她剛剛開始的填字遊戲。就這樣，我被匆忙帶走了，隱隱擔心會不會被烙鐵烙上印記。

隨後的日子裡，就我所見，大院裡充斥了各色各樣的落魄鬼：膽小如鼠的傢伙、喜歡裸體的傢伙、舉手投足都要模仿某顆行星的女演員、肥胖的傢伙、參與某種動物標本醜事的人、拒不認命的侏儒等等。這些

---

15 曼森（Charles Manson）：美國罪犯，二十世紀六〇年代末領導其跟隨者，犯下九起殺人案。

16 愛麗絲·阿德里安（Iris Adrian，1912-1994），好萊塢女星，擅長扮演舞女、匪徒的女人等墮落的女性角色。

人都爭著上升到高檔次，同時整日勞作，好似大腦給切除了的樣子，對高高在上的女神馴服極了。有時能看到她在大院裡跳舞，像是伊莎朵拉·鄧肯，或抽著長長的菸袋，笑得像那匹賽馬「海洋餅乾」。大院的薩滿酋長曾做過保安，我覺得在某部關於《梅根法》[17]的紀錄影片中看到過他。為了得到他的恩准，喘上幾口氣，信徒們每天要工作十二到十六個小時，採收水果和蔬菜供工作人員享用；或是製作各種商品，如春宮撲克、掛在汽車後視鏡上的塑膠小骰子，以及餐館清理桌面的小刮板。我除了負責下水道之外，作為雜役，還要撿拾扔棄地上的長條甜餅包裝紙以及遍地的菸頭。每天的飲食主要是苜蓿菜籽、味噌和離子水，有點難以適應；但是若付十塊錢給一個不大虔誠的僧人，他有個兄弟在附近開飯館，不時能吃點魚肉泥。這裡紀律鬆散，卻期待人們要負起責任，雖然不守日常飲食規定、工作偷懶，可能招致鞭打或是被綁到外面的電線桿上。在消除自我的每日禮數中，一個羞辱接著一個羞辱。最後傳來了旨令，要我與一個酷似比爾．帕塞[18]的印度教女祭司上床。於是我決定該閃人了。我在漆黑的夜色中匍匐前進，爬過鐵絲網，搭上了最後一班前往紐約上西城的七四七飛機。

「原來如此，」我太太說，擺出對早衰患者的雍容大度，「你是隱形易位回到這裡的？我看到你衣領上還吊著大陸航空公司的餐巾？」

「我待的時間不夠長，」我搪塞過去，對她拐彎抹角的挖苦憤憤然，「不過，我付出了一定的辛苦，學得了這種絕技。」說著，我就升離地面六寸在半空晃著，而她的嘴張得就如同電影《大白鯊》中的鯊魚。

「你們這些低頻率、假裝無所不知的人，根本不懂。」我沖著她

---

17 梅根法（Megan's Law）：美國法律，要求執法部門將在本社區內曾犯有性侵犯罪的人的情況通知當地學校、幼稚園和住戶。

18 比爾．帕塞（Bill Parcells），美式足球教練。

說，沒有掩飾自己的得意，但也原諒了她。女人發出一聲尖叫，好像是敵機要來空襲，讓孩子們趕緊躲開這場噩夢般的巫術表演。此時我才開始明白，我不會下降。無論怎麼費力就是不行。屋裡如同《歌劇院之夜》中的那個大廳，成了一個魔窟，孩子們狂呼亂叫，鄰居們以為是出了血案，跑過來救人。這當下，我使盡力氣要落下來，擠出笑容，四肢亂舞，頗似啞劇。最後，賢內助奮起行動，僅用普通物理學原理，就掌控了亂局：她從鄰居那裡拿了個滑雪板，朝我頭頂使勁砸下來，把我狠狠地打回地面。

後來聽說恩多菲恩隱遁了，再也沒有重現。至於「熱浪星系」和她的「莊嚴升天寺」，人們傳聞，讓財政部的警員給關了，都轉世或是轉進監獄了。至於我嘛，再也沒能升離地面，或猜中賽馬場上哪怕一匹跑進前五名的賽馬的名字。

印度綁票

Tandoori Ransom

傳奇式的匪徒維拉潘，身材消瘦，上唇長著捲曲、濃黑的鬍子。他在印度南部的叢林裡，馳騁了一代人的時間……維拉潘先生受控犯有一百四十一樁謀殺罪……星期天，他實施了被警察稱為最大膽、最兇暴的計畫……他綁架了一位受人愛戴的電影明星，七十二歲的拉伊庫馬爾。拉伊庫馬爾的表演生涯跨越半個世紀，扮演過印度各方神仙、古時的國王和各路英豪，因此具有一種神秘氣質。

——二〇〇〇年八月三日，《紐約時報》

啊，狄斯比斯，我的繆斯，我的福星，我的詛咒！我和你一樣，受神靈恩賜，身懷生動多彩的表演藝術天賦。生來就有英雄氣度，有巴里摩爾[19]式的鷹鉤鼻形象，有歌舞伎中昂首闊步者的狂歌勁舞，也有畏首畏尾者的唯唯諾諾。但我不僅僅滿足於命運的寵愛，而是全身心投入古典戲劇、舞蹈和啞劇的藝術之中。人們說，論表演，我眉毛一揚，就勝過大多數演員動用整個身體。直到今天，街坊劇院的圈內人還在悄聲議論，我在夏季講座上傳授帕森·曼德斯[20]的妙處所在。可是表演生涯的缺陷是即便是維持瘦小體格，為了攝取每日所需的卡路里以免於挨餓，我得在泰哥帕克斯跑堂——這是間墨西哥捲餅店，像一株捕蠅草一般懶洋洋地躺在沼澤大街上，毫不起眼。所以，當好萊塢最炙手可熱的人才中心「職業大亨」裡神通廣大的龐修斯·佩里給我的電話答錄機留言時，我覺得終於輪到我品嘗成功的滋味了。佩里還告訴我，我可以使用票房價值最高的演員的專用電梯，不必再因配角在身邊喘氣而傷了自己的肺。聽到這我就更確信我的感覺了。我預測，眼前的這門生意有可能是取材於最暢銷小說《變形人競渡》，電影演員工會的每個男明星都渴望扮演書中的喬許．艾爾赫，而我，氣質高貴和沉穩大度兩者兼備，恰恰適合這個悲劇型的知識分子。

「我想給你找個工作做，小子。」佩里對我說。我就在他辦公室裡，屋裡的裝飾是好萊塢兩位très chic[21]的設計師設計的，一方面超現代，一方面如西哥德人般古樸。

「如果是喬許這個角色，我想讓導演知道我要用人工造型。在我眼裡，他長著各嗇鬼的駝背，因多年不得志而鬱鬱寡歡，也許還長著層層垂肉。」

---

19 巴里摩爾（John Barrymore，1882-1942）：美國男電影演員，被稱為「偉大的形象」。

20 帕森．曼德斯（Parson Manders）：易卜生戲劇中的人物。

21 très chic：法文，「特別時尚」。

「實際上，他們正在與達斯汀談這個角色。這是個全然不同的項目，是一部驚險片。裡面講某個酒鬼企圖把佛祖，或是之類的某個偶像兩眼之間像月亮寶石那樣的石頭偷走。我只是馬馬虎虎看了一下劇本，在仁慈的夢神惠顧我之前，記下了大致的劇情。」

「知道了，那我是扮演一個雇傭兵。這樣，我正好有機會利用以前體操課上學的東西。舞台上的刀法劍術隨時能發揮作用，顯出碩果。」

「跟你說實話吧，小伙子，」佩里說著，從六尺寬的觀景窗望出去，瞧著洛杉磯市民們放著實際空氣不要，而偏偏喜好的昏黃霧氣。「哈維．阿弗拉圖擔綱主角。」

「噢，他們要我演性格角色——主角最好的朋友，信得過的摯友，從暗中推動情節發展。」

「哦，不是這樣。阿弗拉圖需要一個照明替身。」

「什麼？」

「攝影師給場景布置燈光，時間又長又無聊。所以在他要站的地方畫了標記，這期間要有個與阿弗拉圖大致相像的人，站在標記上。這樣燈光陰影就不會太離譜。然後到了最後一刻，人們準備開機拍攝時，這個僵屍——噢，替身——就閃了，大牌走過來，開始拍戲。」

「為什麼要我？」我問，「他們真的需要一位天才演員來做這個？」

「因為你大致有點像阿弗拉圖——噢，你的長相絕不是他那個水準，不過形體還湊合。」

「我得想想。」我說，「我正要給《萬尼亞舅舅》的木偶戲中的華夫餅乾配音。」

「你得快點，」佩里說，「飛往錫魯萬納塔普拉姆的飛機兩小時後起飛。這可比在德州墨西哥捲餅店裡擦桌子，清理人吃剩的捲餅渣要強。說不準，你會被慧眼挖掘出來呢。」

＊＊＊

十小時之後，在跑道上耽擱了一會，機組乘務員為找一條不知躥到何處的眼鏡蛇，把整個飛機翻了個底朝天，然後我發現自己在朝印度飛去。電影製片人華爾．羅斯佩給我解釋說，因為女主角最後一分鐘才決定要帶她的德國黑狗，包租飛機上沒有我的座位了，所以把我作為賤民，在相當於瘋子愛迪公司[22]的印度班達航空公司訂了座位。幸好一班返回印度的航班還有空位，飛機上是一群乞丐，我對烏爾都語雖一竅不通，卻對他們相互訴苦，把飯碗比來比去的感到好奇。

一路平安無事，只有一些「小磕碰」，讓乘客在艙內的兩壁上撞來撞去，像沸騰的原子。曙光初照時，我們在布巴內什瓦爾簡易機場下了飛機，然後換乘蒸汽火車，駛向伊切爾格倫吉，再坐雙輪馬車前往奧姆卡雷什瓦。最後我們隨著挑夫，抵達位於恰勒瓦爾的目的地。劇組熱情歡迎我，告訴我不要打開行李，而是直接站到畫著標記的地方，這樣就能開始布置燈光。否則就會拖延拍攝計畫。作為一名盡職盡責的專業人員，我在正午熱浪中站到一座小山頭上，認真苦幹，只有在喝茶休息時感到快要中暑，才伸伸四肢。

拍攝的第一個星期過去了，情緒忽上忽下，盡在意料之中。導演卻原來是個應聲蟲，阿弗拉圖說什麼就是什麼，而且還覺得阿弗拉圖的每句話，都值得收入亞里斯多德的著作。在我看來，阿弗拉圖沒有抓住主角的內涵，他生怕表現出上校缺乏自信的一面，惹得觀眾不滿，結果把軍人上校演成那位飼養純種良雞的業主肯德基上校。他在喀什米爾山谷如何贏得的普里哥賽事[23]，我弄不明白，作者顯然也不知所措，他的褲

22 瘋子愛迪（Crazy Eddie）：以「瘋狂低價」的廣告訴求深植人心的美國家電公司。
23 普里哥賽事（Preakness）：美國一年一度的賽馬比賽。

帶和領帶都被人拿走了。因為表演百分之九十靠的是嗓音，所以我在此還得補充，阿弗拉圖生就一副倒楣的嗓子，說起話來聲音堵在喉嚨，隔膜直打顫，就像粗糙的玩具笛子。休息時，我試著跟他說，他可以想點辦法把角色演得有血有肉。但是這與他正讀的書相差太遠了。他曾誓言在拍攝完成之前，這本書會讓他弄懂藍精靈的一切。晚上我習慣獨處，找個咖啡館吃點咖喱雞、喝點印度茶。可是到了第三個星期，我對崇拜夏奇拉的當地人的誠意判斷失誤，其中一人以地道的印度方式，張開她的雙臂擁抱我，同時另外四個胳膊翻遍了我的褲兜。

到了拍攝中期，正是一切出亂子的時候。人們脾氣火爆，內訌四起，包括作者把華爾．羅斯佩的抗血栓藥藏了起來，但這一階段終於過去了。工作開始有了起色。有傳言傳回來說每天拍的影片不錯，製片人夫人貝貝．羅斯佩聲言，她看到的影片比得上《大國民》。阿弗拉圖一陣狂喜，提示可以著手計畫奧斯卡宣傳活動，並遊說為他聘一位寫手代寫得獎感言。

記得與往常一樣，我站在畫著記號的地方讓攝影師調好燈光，我按照著阿弗拉圖的樣子臉高高上揚，下巴舉起。突然，左側衝出一群烏合之眾，如阿帕契人一樣呼嘯著衝進場地。他們拿著從孟買希爾頓飯店偷來的菸灰缸打昏了導演，驅散了驚慌失措的製片人員。接下來，一個口袋套在我頭上，還靈巧地打了個結，就把我給扛走了。我曾學過武術，所以我猛地跳到地上，伸展腿腳，亮出一記霹靂腿。綁架我的人命該走運，我踢了個空，徑直掉進等候一邊的普利茅斯的後備廂裡。廂門馬上給鎖上了。印度灼人的熱浪，加上我的頭撞在車廂裡偷來的象牙上，使我終於失去了知覺。後來我醒了過來，周圍一片漆黑。車不停地顛簸，一定是行駛在崎嶇的山路上，我運用在表演課堂學得的深呼吸動作，保持了至少八秒鐘的鎮靜，然後發出令人毛骨悚然的尖叫，終因氣短而昏死過去。我迷迷糊糊記得，在山頂洞裡，我頭上的布袋給拿掉了。一個眼睛瞪得老大的土匪頭子，長著捲曲、濃黑的鬍子，透著電影《古廟戰茄聲》裡的艾德瓦多．喬納里那樣的神經質。他揮舞一把月牙刀，顯然是對這三個痴痴傻笑的下屬幹的蠢綁票火冒三丈。

「小爬蟲，毒蟲，臭蟲！我派你們去抓個電影明星，結果就抓了個這個？」這位吸了大麻的老大總咆哮著，鼻孔像風帆鼓滿了風。

「主人，求求你，」給人喚作阿布的那個賤民乞求著。

「臨時替補根本沒用，還不如一個替身，」這個大人物怒吼著。

「可你看是不是有點像，主人？」一個渾身發抖的下屬支吾地說。

「一群廢物！你是說人們會把這個臭大便誤認為哈維．阿弗拉圖？這就好比金子與臭泥。」

「可是，高貴的主人，他們聘他，就是因為……」

「住嘴，要不然我把你們的舌頭割下來。我這次是想賺個五十、一百大元的。可是你們送來個傻瓜，我保證他連個銅板都不值，要不然我就不叫維拉潘。」

噢，原來這就是他，我曾讀到的那個傳奇式的匪徒。他也許精通殘暴手法，殺起人來手腳靈快，但對於欣賞人才顯然是個低能兒。

「大人，我肯定能從他身上賺點什麼。如果我們威脅劇組，要肢解他們中的一個成員，他們不會就這麼走人。的確，我們聽說過，大的製片廠都不回電話，但如果我們一次給他們送一個器官——」

「夠了，你們這些軟骨頭，」惡毒的匪首尖聲反駁道，「阿弗拉圖現在特別走紅。他剛拍完兩部大片，就是在小市場也著實賣座。可是你們逮的這個廢物，要是能把我們的豆子收回來就萬幸了。」

「對不起，尊貴的大人，」維拉潘手下的糊塗走狗哭著，「燈光從一個角度照著他的時候，他的臉基本上就跟那個電影明星的輪廓一樣。」

「你看不出來他根本沒有那種魅力嗎？阿弗拉圖在波夕這樣的地方留下痕跡，有他的道理。這叫明星氣派。這個呆瓜不過就是開計程車、接電話的料，等待什麼好機會，可是永遠也不會到來。」

「嘿，等一下。」儘管嘴上貼著八寸厚的黑膠布，我還是扯著嗓子喊起來。可是我還沒轉到正題，腦袋上就讓水菸袋重重一擊。我緘默無言，聽著維拉潘完成他的長篇大論。所有笨蛋都要斬首，他大發慈悲地發布命令。至於我嘛，這夥人的賬房先生建議降低贖金，等上幾天，再看劇組是否付錢。要是不付，他們就計畫把我活剝了。我知道我為華爾·羅斯佩做了些什麼，所以完全相信公司已經通知美國使館，當然會接受哪怕是最過分的要求，也不願讓公司的一位同事受到任何虐待。然而五天過去了，杳無音信，維拉潘的探子稟報說，編劇改寫了腳本，劇組收拾攤子搬到了奧克蘭，我開始忐忑不安起來。有人傳話說，羅斯佩不想提出要求麻煩印度政府，而是誓言要盡一切可能把我救出來，但是一分錢贖金也不付，否則他認為就會立下很尷尬的先例。當我身陷囹圄的消息登在《後台新聞》最末幾版的夾縫中時，一群政治上特別活躍的多餘的人，覺得孰不可忍，發誓要在午夜為我守夜，但卻擠不出錢購買蠟燭。

可是既然維拉潘設了期限，又極想把我生吞活咽，我又怎能在此講述這些故事呢？這是因為，還剩三個小時就到限期，滿屋的瘋子磨刀霍霍，正在紙上畫著我的身體各個部位時，我渾身綁著繩索，突然被一雙黝黑的眼睛弄醒了。這雙眼睛透過纏頭巾和長外套之間的空隙直盯著我。

「快點，小子，別喊，」闖進來的人低聲說，那口音不像來自印度的博帕爾，更像來自紐約的綠點。

「你是誰？」我問，因為只吃很少的馬鈴薯花菜加辣豆，感覺麻木。

「快點扔了這身穿著跟我走，別出聲。這個地方到處都是人渣。」

「絕對是，」我喊了一聲，聽出了這是我的經紀人龐修斯・佩里的聲音。

「算了。明天我們在內特餐館見面時再客套吧。」

於是，在我的職業經紀人嫻熟的引導下，我擺脫了將被大惡棍維拉潘肢解的命運。

隔天在內特餐館，佩里在富麗堂皇的皮桌椅中間解釋說，他是在周先生餐廳的聚餐會上聽到我身陷困境。

「這整個事情讓我無法接受。後來我記起來，小時候我常常戴上便宜紙板做的小鬍子，學校裡所有同學都嘲笑我，說我與尊貴的海德拉巴土邦君王殿下相似得讓人害怕，這個主意一旦閃現，其餘的就是小菜一碟了。當然，我講話要很快，因為土邦君王已經滅絕多少年了，可是我是個經紀人，講話快是我的拿手好戲。」

「但是你為什麼捨命救我呢？」我問道，隱約察覺到他的話裡有點不對勁。

「因為你不在的時候，我給你找了個大片的主要角色大顯身手。這是一部緝毒影片。都在哥倫比亞叢林裡拍攝。是打擊麥德林販毒集團的。我猜，一些敢死隊發血誓，如果要在叢林裡拍片，就要廢幾個演員，就是為了這個。但是導演覺得這只不過是虛張聲勢。我都不敢相信有多少演員放棄了。但這正好幫我把片酬炒高。嘿，你去哪裡？」

我走出去，如同一隻貓消失在霧氣之中。我跑著去買了份報紙查看招聘廣告。也許像維拉潘說的那樣，會有計程車或接電話的職位空著。當然，龐修斯・佩里百分之十的傭金就少了許多，可是至少他醒來時，不會在聯邦快遞的盒子裡發現我的耳朵。

老兄，你的褲子太香了
Sam, You Made the Pants Too Fragrant

比如一家稱作「福斯特米勒」的公司，最近設計了一種具有導電功能的紡織品：每一根絲線都可導電……這樣，有朝一日，美國人就能在自己的襯衫上給手機充電……「技術功能服裝」……開發了「一種坎肩，能夠內藏」……「水利系統」，後身衣袋裡裝著一個水瓶，裡面的吸管通過坎肩上的衣領，接到穿衣人的嘴邊……

明年，杜邦公司將把一種能夠暫時掩蓋不良氣味的布料投入市場。比方說，一件襯衫在煙薰火燎的酒吧度過了一夜，可是早上五點到家時，聞上去就好像在芳草地上過的夜。杜邦公司的科學家還開發了用不黏塗料處理過的布料，濺上去的東西會自己掉下來。

韓國科龍公司也開發了「香味服裝」，是用緩解焦慮情緒的香草處理過的。

——二〇〇二年十二月十五日，《紐約時報》

前一陣子我在路上碰上了雷．米利皮。在過去玩玩鬧鬧的好時光裡，雷是我的賭伴。那時我在《唇槍舌劍》雜誌任詩歌編輯。說句實話，我們倆在「好鞋成雙」賭場，或在寇松大街的寇松侯爵俱樂部裡打紙牌、玩遊戲，有失又有得。

「我三不五時到你們城市來，」米利皮告訴我。我們正站在公園大道和七十四街拐角。「大部分是跑業務。我是懷特島上最大的靈骨塔之一的副總裁，負責顧客公關。」

我大著膽提議，用半個多小時的時間敘敘舊。這期間，我禁不住注意到這位夥伴不時把頭偏向左下側，似乎是從精心藏在上衣翻領裡面的一個小水管裡吸什麼飲料。

「你沒事吧？」我終於問了一句，心裡猜想多半會聽到他細說自己遭遇了某種難以言喻的事故，最後躺在新式的可調病床上。「你是在打點滴？」

「你是問這個？」米利皮指著自己上衣口袋說，「啊哈——你這個壞小子眼睛挺尖。這是裁縫開叉手藝的傑作。你一定特別想知道，整個醫療行業為什麼突然一個勁地要人多喝水。好像水能沖洗腎臟，還有數不清的其他好處。好啦，這套熱帶精紡毛紗衣服裡，就縫進了飲水系統。褲子左腿有個儲水罐，裡邊伸出一系列細管圍在腰間，然後接到精心縫製在肩膀襯墊裡的小龍頭。我還讓人在衣服的包縫裡縫上電腦，這樣我就能　動夾在皺摺裡的水泵，通過光纖水管，把依雲礦泉水壓出來。因為裁剪手藝高超，我還能保持這麼好的線條。相信你也同意，一個人的穿戴代表著這個人的教養。」

我查看米利皮的衣服，好像看到不明飛行物，滿臉難以置信。我不得不承認這實屬奇跡。

「薩維爾街上有一家極好的裁縫店，」他邊說邊把裁縫店的地址塞進我手裡，「『邦德史納奇與布舍曼』，超現代布料。我保證你會想要把整個衣櫃裡的東西都換成新的——看到你穿的這身艾米特．凱利[24]式樣的破爛，這也許不是個好主意。但是記住了，告訴他們是我叫你去的，到那裡找平吉．佩倫。他不會虧待你的錢包的。」

看在過去的情分上，我假裝對他關於艾米特．凱利的誹謗沒放在心上，可是我真想把他釘在長矛上。他狡猾地把我的服裝與小丑相比，就像蠍子尾巴藏在我懷裡。我決心一旦我的里程累積增多，足以到海外旅行一趟，就花錢訂做一身衣服。夏末時我的夢想成真，終於來到薩維爾街，走進邦德史納奇與布舍曼高科技的大門，裡面一個神似穿華達呢的螳螂的售貨員打量著我，好像我是在培養皿裡培養出來的。

「他們又有一個逛進來了，」他朝一個同事喊，「我就算好心給你個銅鈑，」他就如同在法官席上說話，「我怎能相信你是買碗粥喝，而不是扔給啤酒館呢？」

「我是顧客，」我大聲說，臉有點紅，「我是從美國來的，想更換衣櫃裡的服裝。我是雷的好友，他要我找平吉——」

「啊哈，」售貨員說著，查看我的頸部的確切位置。「別找了，既然你提起，我也記起來了，米利皮確實警告過我們，某個你這類的人可能順路拜訪。對，他說過你——毫無眼光……次等神靈的造物……我都想起來了。」

「我的目標自然絕不是裝扮成紈褲子弟。」我解釋說，「我到這來

24 艾米特・凱利（Emmett Kelly）：美國馬戲團小丑演員，以扮演流浪漢出名。

只是量一下尺寸，做一套得體的衣服。」

「你有特別感興趣的香味嗎？」佩倫邊問邊拿出訂貨單，朝一個助理眨了眨眼。

「香味？不要。只要一套經典藍色、三個扣眼的式樣，按保守的方法裁剪。也許再買幾件襯衫。我設想的是長絲棉，如果價錢不太貴的話。可是既然你提到香味，我確實聞到了微弱的乳香和藥樹香味。」

「是我的西裝，」佩倫坦白說，「我們的新產品具備各種各樣的香型。夜來香、玫瑰香、麥加香膏。拉博特，過來一下。」一個售貨員像是候命已久一般閃了過來。「拉博特穿的是新出爐的麵包——噢，是新出爐的麵包味。」

我湊過去，聞了聞爐子裡烘烤的麵包的好聞香味。「非常可口的衣服。我是說，這馬海毛挺招人喜愛，」我說。

「我們可以在你的衣服裡加入任何香型，從廣藿香到回鍋肉，應有盡有。好了，拉博特。」

「我只要簡單的藍色套裝。雖然我也想過灰色法蘭絨。」我頑皮地笑了。

「我們邦德史納奇與布舍曼可不用簡單的布料。」佩倫一邊說，一邊朝我湊過來，像是謀畫什麼事情。「求求你，別跟野蠻人混在一起。」

佩倫把一件漂亮的條紋上衣從店裡假模特身上拿下來，遞給我。

「看這個，把它弄髒，」他說。

「弄髒？」我問。

「對。雖然只認識你這麼一會，我肯定，你屬於什麼髒東西都存放在衣服上的那種人。比如說黃油、愛爾默膠水、巧克力奶油、不值錢的紅酒、番茄醬。我說得對不對？」

「我想我跟一般男人沒兩樣，容易弄髒衣服。」我有些結巴。

「那得看別人有多邋遢，」佩倫像鳥一樣啾啾地說，「我給你拿點東西試一試。」他遞給我一個盤子，上面什麼醬、什麼油都有。每一種對衣料都是巨大威脅。

「你真想讓我弄髒衣服？」

「對，對——抹點什麼黑莓醬，或是頂好牌巧克力糖漿。」我鼓起勇氣，撇開了多少年來受的社會教導，抹了一勺子潤滑油，結果發現衣服上既沒黏上，也沒留下任何痕跡。菸灰、番茄醬、牙膏，還有黑墨水，都沒用。

「我用同樣的東西撒在你的衣服上，看到這裡的區別了吧，」佩倫把第一品牌牛排醬慷慨撒在我褲子上，說道，「你看這衣料，實際上永遠失去原色了。」

「是啊，是啊，我看到了，太令人髮指了。」我說，心有餘悸。

「好詞，」佩倫哈哈大笑，「永遠毀了。不過，再加上幾百鎊，你就再也不必考慮圍巾或在凡俗的洗衣店進出了。或者說，不必害怕小不點在你駝毛休閒上衣上亂畫了。」

「我不想要駝毛休閒上衣，」我解釋說，「也不想要太貴的衣服，只想試一試帶點化纖的衣服。」

「順便說說，」佩倫點點頭，「我們還有排斥任何氣味的衣料。我是說，我沒見過你太太是什麼樣子，可是我能夠想像出來。」

「她長得很好看，」我馬上說。

「啊，你知道，這都是相對的。看到同一張臉，我看到的可能是魚餌店裡的什麼活物。」

「停，」我抗議道。

「我只是假設。就是說，打個比方，你那裡有位前台接待員，那臀部總是吸引你的眼睛，兩條長腿曬成了古銅色，乳溝深邃，而且還有一張冷若冰霜的臉——另外，她還總伸出舌頭，舔著嘴唇。明白了嗎，朋友？」

「也許，我很遲鈍，」我小聲小氣地說。

「也許？那我就說得更明白點，朝聖的教徒。比如說，你跟這塊奶油蛋糕在三州交界處的每一家汽車旅館都折騰過了。」

「我絕不會——」

「放輕鬆。你的秘密在我這沒問題。好吧，你回到家，家裡的典獄長在你的塔特薩爾花格呢背心上，聞到了最微弱的Quelques Fleurs香水，你有點頓悟了吧？接著發生的，或者是你拚死拚活地工作，免得被關進贍養費逃避者監獄，或者是親愛的人怒氣沖沖，結果你變成了維吉[25]式老照片上的樣子，兩眼之間鮮血噴湧。」

「對我來說這些都不是實際的困擾，」我說，「我只是想要件穿起來放鬆，在特殊場合又雅致的衣服。」

「是啊，你是想這樣——但還要著眼未來。我們不僅裁製服裝，我們是在後現代的環境中給顧客配裝。你是什麼職業，貴姓？」

「達克沃斯，本諾．達克沃斯。你也許讀過我關於詩歌韻律的大部頭。」

「說不上，」佩倫說，「但是，你給我的印象是屬於飄忽不定的那種。情緒不穩。甚至可以說精神分裂。傻子才會抵賴。從我們在一起的這麼短的時間裡，我就能看出來你的精神狀態搖擺不定，一會和善容易親近，一會沒精打采的，如果哪個開關啟動了，還可能有殺人傾向。」

「佩倫先生，我向你保證我很正常。我的手現在雖然在發抖，但這是因為我要的只是一套藍色的衣服——不需要什麼情境。只要一套能表現成就感，但又不張揚的就行。」

「這正是你要的。精緻的蘇格蘭羊毛。但是裡面織進了我們自己秘密調製的情緒興奮劑，好讓你一直有種幸福感。」

25 維吉（Weegee）：以拍攝凶殺血案照片著名的美國攝影師。

「毫無緣由的幸福，」我提高嗓門，開始帶著嘲諷。

「緣由是這套衣服。這麼說吧，你丟了錢包，裡邊有你所有的信用卡。你回到家，小不點把藍寶基尼跑車全毀了。還發現一張紙條，上面索要等於你身價八倍的贖金，否則就別想再看到你的孩子。穿上這身衣裝，你就永遠情緒飽滿，舉止溫良。事實上，你甚至還享受你的困境。」

「那孩子呢？」我驚恐地問，「孩子在哪？在某處地下室身上給綁著，嘴上纏著膠布？」

「到時你就不會這麼想了——有我們抗抑鬱症的衣料輕撫著你，就不會這樣。」

「是啊，」我拐著彎說，「等我脫了衣服，能不會出現自閉症？」

「啊，有些柔弱的姐妹脫去衣服後，常常更加內向了。怎麼了？你想一了百了？」

「是啊，好吧，」我邊說，邊朝防火出口退去，「說到一了百了，我得走了。我家裡養了一隻浣熊，該餵奶了。」我的手指在衣袋裡緊扣辣椒噴霧筒，生怕任何人阻擋我出去。正在此時，我看上了一件令人震撼的海藍色的樣品。

「噢，這一件，」佩倫見我問起，跟我說，「絲線是與成千上萬條導電線編織在一起。衣服不僅有漂亮的皺摺，還能給你手機充電。通話前只需把手機在衣袖上摩擦幾下即可。」

「好，這就對了，」我說，想像衣服完成後，既時尚又實用，還委婉地向我周圍的人顯示我確實也是新潮一員。佩倫見馬上要賺上一筆，掏出訂貨單湊近我，拿出菲利多爾的殺手鐧，簡單俐落地做成交易。我取出支票簿，接過他的萬寶龍金筆，眼見這樁服裝大事要成，心中怦怦直跳。恰在此時闖進一人。來人正是拉博特，他面無血色，從另一間房間衝進來。

「出事了，佩倫，」他壓低聲音說。

「你臉色怎麼這樣白，」佩倫說。

「我們的手機充電套裝，」拉博特顫抖著，小聲說道，「我們昨天賣的那套——記得嗎？羊絨和微型導電線混織的。你知道，就是把手機一摩擦就能充電的那種。」

「現在不行，」佩倫咳嗽一聲，「我這裡有，你知道，」他說著，眼睛朝我這邊翻了翻。

「呃？」拉博特嘀咕著。

「你知道，每分鐘都生產一套。」佩倫回敬他一句。

「噢，是的，確實是，」這位緊張的下屬應承著，「就是那個笨蛋，穿上充電套裝走出商店，摸到他的車門把手，一下子從白金漢宮彈出去好遠。他現在正在急救病房。」

「嗯，」佩倫默默地想，迅速算計著可能要擔負的每一種責任，

「也許沒想到這樣的穿法一碰上金屬會致命。好了，你通知他家人，我來處理法律問題。這是這個月第四個買導電套裝的顧客要靠生命維繫系統活著了。瞧瞧，我剛說到哪了？噢，是的，鴨子醬？鴨子嘴？[26]你到哪去了？」

讓他去找吧。正是褲子裡的高壓電，把我直接送到巴尼百貨。我從衣架上買了一件三扣眼的降價貨。這衣服什麼後現代的事情都做不了，除非把絨毛吸附功能也算進去。

---

26 主人公名為達克沃斯（Duckworth），店員忘記其名字，只依稀記得Duck開頭，喊他鴨子醬（Ducksauce）、鴨子嘴（Duckbill）。

筆墨出租

This Nib for Hire

據說，杜斯妥也夫斯基寫作是為了賺錢，好滿足他在聖彼得堡賭場的欲望。福克納和費茲傑羅也把自己的天賦租賃給一些暴發戶。這些暴發戶召集了許多寫手，把他們安置在真主花園[27]，恨不得一舉實現在票房大賺一把的夢想。不管可不可信，天才們暫時出讓自己持守的傳說有點讓人寬慰，並在幾個月前也弄得我手癢癢的。當時我在房間裡踱來踱去，想從繆斯那裡引誘出一個值得一寫的主題，有朝一日寫進我定要動

27 真主花園（Garden of Allah）：洛杉磯日落大道上的著名公寓。

筆的那部巨著中，正巧，電話響了。

「米爾蟲？」電話裡的聲音咆哮著，發出這咆哮聲的那張嘴上，顯然叼著一支細長雪茄。

「是，我是法蘭德斯．米爾蟲。你是哪位？」

「科利．畢格斯。知道這個名字嗎？」

「呃，有點說不上來——」

「沒關係。我是電影製片人——大製片人。天哪，你不看《影視名人》雜誌？我是幾內亞比索[28]的頭號製片人。」

「說實話，我更熟悉文學領域，」我坦誠地說。

「啊，我知道。我看了你的《霍克弗萊氏編年史》，所以我想和你坐下來談談。今天下午三點半卡萊爾飯店見。皇家套房。我入住的名字是奧茲曼迪亞斯．洪，為的是躲開這裡想出名的人一窩蜂拿著劇本來見我。」

「你怎麼找到我的電話號碼？」我問道，「我的電話號碼沒登記在電話簿上。」

「網路上找的。跟你的結腸鏡X光片一起。你只要來此一趟，走運的小伙子，我倆很快就能賺個盆滿鉢滿。」說完，他的話筒就使勁摔到電話機座上，震得我耳膜都快破了。

畢格斯這個名字對我而言毫無意義，這很正常。我曾明確講過，我的生活不像電影節、大明星那般星光閃耀，而是專心致志寫作的清苦型。這些年我寫了好幾本關於崇高哲學主題的小說，但都未付梓。最後，施洛克出版社出版了一本。我書中的人物逆時光旅行，返回古代，藏起喬治國王的假髮，從而加速了《印花稅法》的頒布。這本書筆鋒犀利，顯然觸犯了權勢階層。不過我還是認為自己是嶄露頭角、剛直不阿

---

28 幾內亞比索（Guinea-Bissau）：位於非洲西岸，是全球最低度開發的國家之一。

的天才；在掂量著畢格斯要我去卡萊爾的要求時我小心謹慎起來，免得把自己出賣給好萊塢某個幻想借用我的靈感寫出電影劇本的低俗鴨嘴獸。這件事想起來，既讓我反感，又挑起我的自我意識。畢竟，要是創造了《大亨小傳》、《喧囂與騷動》的先人，都應允西岸那些貪求名望者的請求，借以餬口的話[29]，米爾蟲夫人的小寶貝又為何不能呢？我對氣氛和性格的鑑賞水準，將大放異彩，也反襯出片廠雇傭文人的陳腐麻木。對這一點我信心十足。當然，我的壁爐台上要是有一尊小金人，而不是現今擺在那兒、不停地啄嘴的塑料小鳥，會更好。暫且告別嚴肅的創作，存上一些錢來補貼我的《戰爭與和平》或《包法利夫人》，未嘗不合情合理。

於是，我穿上作家常穿的粗花呢上衣，兩個臂肘帶著補丁，戴上愛爾蘭式呢帽，走進卡萊爾飯店皇家套房，去見自詡的大人物，科利・畢格斯。

畢格斯身材矮胖，頭髮只可能是打免費電話從假髮商店訂購的那種。他臉上混雜著簇簇斑點，形成毫無規則的點與線，像是摩斯密碼。畢格斯穿著睡衣，披著飯店裡毛茸茸的睡袍，還有一位體形美如天成的金髮美女相伴。她身兼秘書和按摩師，顯然精通幾招最普通不過的辦法，可以幫他疏通常年堵塞的鼻孔。

「我開門見山，米爾蟲，」他說著，朝臥室點點頭。他身材豐滿的門徒起了身，婀娜多姿地走向臥室，只花了兩分鐘，就繫好了吊襪帶。

「我知道，」我從維納斯神殿回到人間，說道，「你讀過我的書，對我的文筆充滿視覺效果有印象，所以你想要我創作電影劇本。當然，你清楚，即使我們數學都極好，我也要堅持在藝術上擁有全權。」

「沒錯，沒錯，」畢格斯嘟囔著，沒理會我的最後通牒。「你知道

29《大亨小傳》的作者費茲傑羅與《喧囂與騷動》的作者福克納，兩人皆擔任過好萊塢編劇。

什麼是編小說？」他彈出一片胃舒平，說。

「不大知道，」我回答。

「就是電影賣座的時候，製片人雇幾個傻瓜，把電影編成一本書。懂了？宣傳電影的平裝本——完全是給沒文化的人看的。就是你在機場或是購物中心書架上看到的那些垃圾。」

「呃，」我說，開始覺出一種致命的壓力，以貌似溫和的騙人方式，逼近我的腰部。

「但是，我生來顯貴，不跟文字工匠做交易。我只和誠心誠意的人交往，所以我在此告訴你，上星期在一家鄉村小店，你的最新著作引起了我童稚般的好奇。我可是從未見過降價處理的書，竟是擺在商店賣引火物的櫃台上賣的。書我沒看完，但是趁著瞌睡蟲還沒來費力看了三頁，我就知道這位作者是海明威老爹之後最不尋常的文字匠。」

「說實話，」我說，「我從未聽過編小說。我的行業是嚴肅文學。

喬伊斯、卡夫卡、普魯斯特。至於我的第一本書，我會讓你認識《理髮師雜誌》的文化編輯——」

「是啊，是啊，可是每一位莎士比亞都要吃飯，要不然動筆寫作之前也會發牢騷。」

「呃，」我說，「能不能喝點水。我有點離不開這些佳靜安定片了。」

「你放心，小伙子，」畢格斯提高聲調，抑揚頓挫地說，「所有得了諾貝爾獎的人都替我工作。這是他們的拿手好戲。」側廳裡，體態豐滿的助理伸出頭來，像唱歌一樣說，「科利，賈西亞・馬奎斯打來電話說他家裡沒糧草了。他問你能不能再讓他多編點小說。」

「告訴老加，我一會給他打回去。小菜一碟，」這位製片人打了個響指。

「你要我把哪部電影編成小說？」我試探地問了一句，有點氣短，「是愛情片？警匪片？還是動作片？我是出了名地擅長白描，尤其是屠格涅夫式的田園風格。」

「俄國佬又怎麼樣，」畢格斯大叫著，「去年，我曾想把斯塔沃羅金的懺悔改成歌舞劇，搬上百老匯。可是所有贊助人都得了豬流感。這可是樁騙局，小子。我正巧擁有一部經典電影的版權，是『活寶三人組』主演的。是幾年前和雷・史塔克玩牌時贏的。對這三位最難管束的小丑來說，這可是個表現的機會。我已經從正片中擠出了所有油水——電影院、外國電視、國內電視——但我懷疑仍能從小說裡再榨出點值錢的東西。」

「『活寶三人組』？」我不敢相信地問道，聲音直接升到高八度。

「我不用管你是否喜歡他們。他們只是一門生意。」畢格斯吹噓道。

「當我八歲的時候，」我邊說邊從椅子上站起身，拍了拍衣袋，找我應急的止痛藥。

「等一等，等一等。你還沒聽到情節呢。全是在一個鬧鬼的房子裡過夜的事。」

「沒關係，」我說，朝門口湊過去，「我有點晚了——有朋友正在建一座倉房——」

「我訂了一間放映室，讓你先看一遍，」畢格斯說，不理會我的抵制。到了現在，我的抵制已經全然變成了驚恐。

「不了，謝謝。我可能已經江郎才盡了，」我結結巴巴地說，卻被這位大人物打斷了。

「來吧，小伙子。要是像我的長鼻子嗅到的那樣有賺頭，這三個實實在在的壞小子能拍無數個短片。一個電子郵件就可以得到將整個拍攝過程編成小說的版權。你將做我的主要寫手。你可以在六個月內撈走足夠的大錢，剩下一輩子都可以創作藝術。只要給我幾頁小樣，讓我確認你的才能就行。說不準經過你的手，編小說最終將趨於成熟，成為一種藝術形式。」

那天夜裡，我內心發生了激烈的衝突，要用卡蒂薩克蒸餾廠出產的溫柔瓊漿，才能壓下煩人的抑鬱。不過，還得老老實實地承認，賺足了銀兩，以便不必餓著肚子創作下一部名著的想法讓我心動。不僅僅財神的低語在我耳邊響起，畢格斯的本能也有可能找對了方向。也許我是個馬赫迪[30]，受命把編小說這種文學垃圾的幼苗扶正，賦予深度，賦予尊嚴。

我突然一陣歡欣鼓舞，灌了大量黑咖啡，衝到電腦前。天明時分，我完成了任務，經受了挑戰，急於交到我的新恩人面前。

真惱人，他的「請勿打擾」的牌子直到中午才拿下來，我終於按了門鈴，進了屋，見他正在大嚼早餐。

「三點再來，」他表示，「來時找莫瑞．張維爾。有人把我住店登記的名字傳出去了。這裡擠滿了雜誌插頁上的大美女，爭搶著要試鏡頭。」我很是可憐他的窘況，隨後幾個小時裡，把幾個句子推敲得盡善盡美。到了三點，我拿著在精緻打印紙上重新打好的作品，又走進他華貴的住處。

「給我念念，」他命令道，咬下一支走私來的古巴雪茄的頭，朝仿製的烏特里洛畫作方向吐去。

「給你念念？」要向他口頭呈交我的文稿，我吃了一驚，問，「你是不是自己讀？這樣能在腦子裡讀出微妙的詞語的節奏。」

「不了，聽你念我更能感覺。另外，昨晚我把老花眼鏡忘在了貓頭鷹餐廳。開始吧。」畢格斯把兩隻腳放在咖啡桌上，下了命令。

「堪薩斯的橡樹村，位於廣闊無垠的中部平原極為荒涼的地帶。」我開始念，「田野上，曾星羅棋布著農場，農田裡長著玉米和小麥，生機勃勃。現在，則是一片貧瘠的土地。農業補貼本來是要促進繁榮，可

30 馬赫迪（Mahdi）：伊斯蘭教中救世的導師。

是卻適得其反。」

畢格斯的眼睛開始發亮。那可惡的方頭雪茄使他頭上罩著一圈厚厚的煙霧。

「一輛破舊的福特車停在一棟空無一人的農舍前，」我接著念，「車上走出三個人。滿頭黑髮的那個人很是平靜，毫無任何理由地用右手抓住禿頂人的鼻子，慢慢擰著，逆時針轉了一個大圈。大平原上，一聲淒厲的嚎叫刺破了寧靜。『我們受苦受難，』滿頭黑髮的人說，『這該死的人類生存，紛亂的暴力。』」

「與此同時，第三個人拉瑞晃進屋裡，不知怎麼，把自己的腦袋套進了一個陶瓷罈子。突然間，一切變得如此可怖，如此漆黑，拉瑞在屋裡瞎乎乎地摸索。他很想知道生活當中，或是整個宇宙中的任何構想有沒有神靈，甚或有沒有任何目的。正想著，黑髮人進來了，抄起一個大木槌，要把罈子從這位夥伴的頭上砸下來。叫做莫伊的人，多年來對人的命運的空洞無物的荒誕不經一直憂心忡忡，憋足了怒火，打碎了陶罐。『我們至少能自己選擇，』禿頂克利哭泣著，『命定要死，可是又自由選擇。』說著，莫伊的兩個手指捅進了克利的雙眼。『啊，啊，啊，』克利嚎叫著，『這世界根本毫無正義。』他把一根沒剝皮的香蕉插進莫伊的嘴裡，猛地推了進去。」

聽到此，畢格斯忽然從恍惚中回過神來。「停，別念了。」他說，直直地站著。「這可真棒。這是約翰·史坦貝克，是卡波提，是沙特。我聞到了錢味，看到了榮譽。這是為敝人贏得名譽的高質量產品。回家去準備行裝。你和我先住貝萊爾[31]，再等更合適的地方空出來——附游泳池，也許還附三個洞的高爾夫球場的地方。噢，或許海夫[32]能讓你在

31 貝萊爾（Bel Air），洛杉磯西面山區的一處高級社區。

32 海夫（Hef）：即《花花公子》創辦人海夫納（Hugh Hefner）。

他的莊園住上一段時間，如果你願意的話。同時，我打電話給我的律師，鎖定整個『活寶』系列作品的版權。這是古騰堡歷史上值得紀念的一天。」

不用說，那是我最後一次見到科里・畢格斯頂著這樣或那樣的名字出現。我手裡拎著旅行袋返回卡萊爾飯店時，他早就走了；是去了義大利里維拉，或去了土庫曼電影節，還是去了幾內亞比索查看利潤，前台接待員不大清楚。在此要說的是，事實證明，追趕一位從不使用真名真姓的風雲人物，是太難為一個叫米爾蟲的舞文弄墨的可憐蟲了；我絕對肯定，這對福克納或費茲傑羅而言，也是一樣。

導演定本

Calisthenics, Poison Ivy, Final Cut

小時後，每年夏天我都被連哄帶騙送到某個湖畔營地。這些營地都起著印第安名字，設有小頭目，或者也可稱為輔導員；我就是在他們幸災樂禍的目光下學會狗爬式。最近我注意到《紐約時報雜誌》最末幾頁有些廣告，都是些富有人家的家長可能要找的破爛地方，好把他們的鼻涕蟲打發掉，自己享受懶散的七八月天。但其中竟然也有籃球夏令營、魔術夏令營、電腦夏令營、爵士樂夏令營等如此時尚的現代場所，這裡面，也許最風光的，是電影夏令營。

顯然，在長著豚草、跳著蟋蟀的某個地方，某個熱衷蒙太奇的十來歲的孩子，可以一邊閒散地打發暑假，一邊學習炮製能贏得奧斯卡大獎的對話、攝影、表演、剪輯、音響合成，而且據我所知，還有如何在貝萊爾購買一套配有專人停車服務的房屋。在那些毫無夢想的青少年忙著揀蘑菇的時候，一群年輕的馮．史托洛海姆卻在自行製作電影；這種暑假工程，可比編織滑輪板的扣鎖鑰匙鏈更為時髦。

這個價格不菲的靈感，似乎離莫伊和艾爾希．瓦尼許克在洛克謝德瑞克開的美拉諾瑪夏令營相去甚遠。我在那裡玩躲避球，讓防曬防蟲液工廠不停地生產，挨過了十四歲那年無精打采的夏日。很難設想瓦尼許克那樣的老夫老妻經營的地方，會是個像電影夏令營那般時尚的場所；只是我在卡內基食品店解構熏魚時聞到的味道，給了我足夠的幻覺因子，編出了如下信函。

親愛的瓦尼許克先生：

秋季來臨，樹葉變得紅黃相間，色彩繽紛，光彩奪目。身處華爾街和威廉街，我必須暫時中斷一日工作，向你致謝。感謝你在貴處傳統而又創新的鄉村勝地，讓我的寶貝後代阿爾蓋度過了豐富多彩的夏天。他講述的徒步旅行和水上行舟，驚險程度可比艾德蒙．希拉里爵士和索爾．海爾達[33]的篇章，這些經歷給他學習各種電影製作技術時度過的緊張、勤奮的時光增色添彩。他耗時八週製作的電影非常出色，令人興奮，米拉麥克斯影業公司甚至要付我們一千六百萬美元國內版權費，這可是任何家長都夢寐以求的，雖然他母親和我早就知道，阿爾蓋有神賜的藝術天賦。

然而，令我驚訝了那麼一瞬間的是，你信中表示，這部電影的發行

33 艾德蒙．希拉里（Edmund Hillary）與索爾．海爾達（Thor Heyerdahl）皆為知名探險家。

收入，有一半好像應該進入你的腰包。像你和瓦尼許克夫人這一對甜蜜夫妻，怎能冒出這種神經兮兮的幻覺，認為你們有權分享我兒子創作碩果散發出的最微弱的味道，真是匪夷所思。總之，我鄭重向你宣告，儘管他的影視作品是在你破陋的小胡佛村[34]起步的，可是你在宣傳冊子中卻吹噓其為「卡茨基爾山的好萊塢」，但你絕對得不到我親骨肉的這筆意外財富的一分一毫。我要盡力以一種委婉的方式向你說，那個貪得無厭、與你同床、把你弄進這樁粗暴敲詐，還正巧讓我知道的蛇妖，還有你，都見鬼去吧。

真誠地

溫斯頓・史內爾

可愛的史內爾先生：

謝謝你這麼快答覆我的條子，還老實承認你兒子的電影，從頭到尾都歸功於我們迷人的鄉村別墅。我擔保，迷人別墅的宣傳冊子，很快就會成為胡佛村的一號證據。說到艾爾希，順便告訴你，儘管你來訪時對她身上青筋暴露，胡謅了些無聊笑話，連恨她恨得咬牙的打雜的也不覺好笑，可是我從來就沒見過比她更好的女人。你開口講蛇妖笑話之前就該知道，我妻子是個一心撲在家裡的人，她患梅尼爾氏症，而且我還告訴你，她早上要是不跟衣櫃撞上就起不了床。你也該得這種病——我肯定你每個星期在運動俱樂部，和穿方格呢褲子、都等著給判罪的死黨們打網球，就不會那麼快了。我自己沒有拿別人的養恤金進行投機，賺六位數字的錢。我經營的是一個貨真價實的電影夏令營。這是我妻子和我開糖果店一分一分攢出來的。那時我們要多賣幾塊蠟糖，每星期才能吃得起鯉魚。

34 胡佛村（Hooverville）：美國大蕭條時期無家可歸者建的棚戶區常用此名。

你兒子的電影是在我們一流的工作人員監督下，其實應該說是跟這些工作人員合作製成的。信瓦尼許克的話吧，任何大製片廠都應該有我們這樣的工作人員，才不會做出那些給弱智少年看的垃圾。西．波普金，親自給小討厭鬼作輔導，他可是個還沒得到好萊塢認可的大才子。要不是偏偏有一次，他在墨西哥被人發現在跟托洛茨基玩配對約會，他本來可以贏得五十項奧斯卡。這件事當時把那些傻瓜蛋嚇壞了，結果他再也找不到工作了。還有我們的戲劇輔導員海德拉．韋克斯曼，她放棄了前途遠大的電影生涯，獻出自己的時間，教導那些十幾歲的異種人，而且到目前還都是免費。這個女人——願她安息，當然是死後的事了——她親自指導你兒子電影裡的業餘演員，從那幫毫無才氣的懶漢身上，誘導出一丁點的表演才能，而你兒子則坐在一邊大張著嘴，看她工作。

最後，華爾街先生大人，還有我們營地自己的阿貝．銀魚兒，他在坦尚尼亞和峇里島名氣很大的影展上得過剪輯獎。他站在那——我要是說謊，讓我妻子不得好死——他一直站在那，循循善誘地幫助笨手笨腳的阿爾蓋。你要是聽我的勸告，就時不時給這個孩子來點「利他寧」藥片，讓他別那麼煩躁。銀魚兒親自指導音像技術，把每一個剪輯細節都告訴他。正好也告訴你，你這孩子笨蛋一個，用了我們所有的器材，胡亂擺弄嶄新的松下攝影機。現在，我一按按鈕，就發出一種如同你慢慢轉動錫鐵樂盒上的木把手一樣的聲音，艾爾希把這種在遊樂場合吵吵鬧鬧的東西叫波浪鼓[35]。這個我不會找你要錢，因為，我們將要成為新的合夥搭檔了。

尊敬地

門羅・瓦尼許克

---

35 波浪鼓（grogger）：grogger為類似波浪鼓的西式童玩。

親愛的瓦尼許克先生：

無論你以何種方式表示，你糾集的工作人員在人類演進的層次上高於遊民，都純屬無稽之談。新的合夥搭檔？你是否得了隱性中風？首先，我要說明，阿爾蓋的劇本是他自己構思，取材於我們家真實的生活經歷：我們當地的殯葬員自以為得了諾貝爾獎。像波普金這等叛國分子，很可能在吃墨西哥捲餅時，就把原子機密傳給了托洛茨基。關於他有可能為我家神童的劇本做了貢獻，哪怕是貢獻一個逗號的說法，都像尼斯湖水怪的傳聞一樣不可信。至於那位酒神小姐，網路上說，她從未出現在用八釐米以上膠卷拍攝的任何電影中，而且還都是以甜姐巴爾[36]為藝名出演。正巧，你是否知道，你們的輔導員銀魚兒在好萊塢一部電影當剪輯時被人解雇？因為據說他不斷把亨利・方達剪得頭腳倒置。阿爾蓋還說，你提供的攝影機根本不是新的，而是時好時壞，因為一個十九歲的救生員拒絕了你的求愛，你就把攝影機朝她扔了過去。瓦尼許克夫人受得了你和女幫手調情？還有，我曾取笑尊夫人的靜脈系統，對此表示歉意；可是我有時太敏銳了。鑑於數不清的藍色川流遍布她身上的山谷平原，我禁不住評說幾句，將其比作公路地圖。

最後，願此信能終結我們之間的聯繫。今後一切信函，均應直接寄往「厄普察克和厄普察克律師事務所」。

永別了，肉球。

溫斯頓・史內爾

我親愛的史內爾先生：

我只得感謝上帝給了我幽默感，還能聽點笑話，不必馬上跑到槍枝

36 甜姐巴爾（Candy Barr，1935-2005），美國脫衣舞孃，曾出演過一部色情電影。

店順手雇上幾個槍手。我來幫你澄清幾個事實。我活了四十歲，除了艾爾希之外，從沒正眼看過別的女人。說實話這真不容易。因為，我首先承認艾爾希不是個美女，不像在雜誌上擺出上帝才知道的姿勢的身材豐滿又有曲線的人。你在碼頭上等候哥本哈根渡船時，流著口水讀的，就是這種雜誌。

其次，我只是好奇——你是從哪來的想法認為你那個小臭蟲是個神童？只有你這種叼著雪茄，專會弄錢的行家裡手才想得到。圍在你身邊的都是些點頭哈腰，專揀你喜歡聽的話說的人，可是你一轉身他們就翻白眼。信我吧。艾爾希和我開糖果店時，店裡有個笨蛋幫著看管汽水，我對他媽媽發善心才一直雇用他。他媽媽本來要做手術換骨盆，結果換了個中國佬的腎。不管怎麼說，這個可憐的怪物智商剛到兩位數，可是跟你的阿爾蓋比起來，簡直就成了艾薩克．牛頓。

還有，這個夏天艾爾希的侄子本諾贏了拼字比賽。這個孩子拼出了

「記憶術」這個詞，可是他才八歲。這才叫聰明。而你那隻金色的「米德威奇杜鵑」[37]，享受所有的優越條件，上私立學校，花大錢聘輔導老師，可是要是不看襯衫上貼著的名字，就記不得自己姓什麼，叫什麼。

同時，我不想用法律訴訟來威脅你，而是告訴你那幫奸詐的律師，如果仔細查一下，就會發現雖然你有一套膠片，能引得溫斯坦兄弟[38]像土地投機商似的用一千六百萬給你鋪路，但世上唯一一套底片是在我們的平房裡。我希望底片一切完好，但瓦尼許克夫人在片頭已經弄上了雞油，我可無能為力。

門羅・瓦尼許克

---

37 米德威奇杜鵑（Midwich cuckoo）：取自英國作家約翰・溫德姆的同名科幻小說。此種杜鵑會將自己的蛋下在其他鳥的巢裡，讓其他鳥撫養長大。

38 溫斯坦兄弟（Weinstein brothers）：指米拉麥克斯影業公司創辦人哈維與鮑伯・溫斯坦兄弟。

瓦尼許克：

前次來信，讀來頓生憐憫，又感到恐懼，恰如亞里斯多德式的悲劇。頓生憐憫，是因為你顯然不知，持有我兒子影片的底片是一種小小失誤，稱之為非法侵吞大筆財產；感到恐懼，是因為昨夜我偶得一夢，預見到你服刑期滿後，身著囚服，在安哥拉被一名五大三粗的囚友用螺絲起子刺中。

儘管可以用我手上的膠卷沖洗新的底片，雖然質量不會太好，但我強烈建議，你立即把原始底片寄送給敝人，免得底片薄薄的外層再遭雞油或任何種類的可惡調味品的玷污。早餐桌上，你，還有與你怒目相視的那個青面獠牙，用的就是這種調味品，才能使她做的飯能夠入口。我的耐心正在迅速消失。

溫斯頓·史內爾

你聽著，史內爾：

要進監獄的不是我，是你。罪名要不是出賣你自己並不擁有的電影，也至少是開空頭支票；因為你的天才兒子說夢話，而艾爾希的愛好是錄音。我在力求保護底片，可是這太難了。首先，我侄子施羅姆下禮拜六歲了，真是可愛，他能用意第緒語和英語唱《抹布拖把》（Ragmop）。但是我們得承認現實。這個年紀正是瘋玩的時候，他拿一塊尖石頭在底片第二卷中間畫了一個長道子。他喜歡把底片從鐵盒中拉出來，用鉛筆刀把感光膠刮下來。為什麼？我怎麼知道？我只知道他刮東西後得意洋洋。更不用提我姐姐羅斯了，她把潤膚霜弄到了底片上。可憐的女人，她丈夫最近剛死於大面積心肌梗塞。但我曾事先警告過他——她洗完澡走出浴室時，不要直接看她。不管怎麼說，你這麼頑固，太可惜了。因為，你我本來可以從這電影中得到不少小錢的。不過你是個有原則的人。順便問一句，到底什麼是空頭支票？為什麼是大罪？我得走了，狗把底片叼走了。

瓦尼許克

瓦尼許克：

你這個惡毒的小爬蟲。我把阿爾蓋電影發行費的百分之十給你。照你的話說，你不值一個銅子，只配被殺蟲劑好好噴上一番。

我建議，在我恢復清醒、感到後悔之前，你趕緊接受這筆交易。這可是你躲過夏日裡正值青春發育期的小導演的折騰、前往邁阿密或百慕大歡樂世界的好機會。也許，如果你把利潤中的一部分送給一名醫術良好的整形醫生，幫瓦尼許克夫人做一次全面大改裝，她甚至可能得到准許到公共海灘一游。

溫斯頓．史內爾

可愛的小伙子：

艾爾希恢復了知覺。她放老鼠夾的時候湊得太近了，想聞一聞老鼠夾上的起司是否新鮮，結果出了事，昏迷過去。瞧！不管怎樣，她醒過來了，剛好在我耳邊說了一句「要百分之二十」，就又像洋娃娃一樣頭往後一仰，眼睛閉上。說到這，你只要在簽名虛線上簽個名——她還提到，要在公證人面前簽名——就不僅能得到阿爾蓋的底片，而且還能得到艾爾希做的好吃的肉餡菜包，我們送給你一點，不要錢，但記住把罐子寄回。祝你生活愉快。

你的新合夥人

門羅・瓦尼許克

至愛保母

Nanny Dearest

「人的內心潛藏著哪些惡毒，魅影一清二楚。」[39]每當想起這句話，就感到惡魔在咯咯地笑，一股寒氣衝上背脊。那時我正值迷人的青春年歲，冬日黃昏的週日，蜷曲在祖先留下的昏暗的房子裡的史莊博格·卡爾森古典電器旁。說實話，我的內心深處根本不曾有過任何黑暗把戲，直到幾週前，我在位於華爾街的布克與海爾公司[40]辦公室接到賢內助的

39 引自三〇年代著名廣播劇《魅影奇俠》（The Shadow）。

40 布克與海爾（Burke and Hare）原是十九世紀蘇格蘭的兩名連環殺手。伍迪艾倫以此命名華爾街的公司，諷刺意味十足。

電話。她一貫平穩的語調變得支離破碎。我聽得出來她又犯了菸癮。

「哈維，我們必須談談。」她對我說，話中透出不祥預兆。

「孩子們沒事吧？」我劈頭就問，覺得隨時會聽她念個什麼索要贖金的條子。

「沒事，沒事，但是我們的保母──我們的保母──那個笑呵呵，挺隨和的猶大，維維塔．貝爾納普小姐。」

「她怎麼了？不會是這個傻瓜跑了，而且還打破了骨董陶瓷杯吧。」

「她在寫一本關於我們的書，」電話那邊的聲音好似來自地下墓穴。

「關於我們？」

「關於她過去一年在公園大道做保母的經歷。」

「妳怎麼知道的？」我焦急地問，突然後悔當初沒理會律師的建議，訂立保密協議。

「她外出時，我去她的房間歸還在假日前借的兩盒薄荷糖，無意間看到一份手稿。我自然忍不住要看看。親愛的，可比你想像的任何事情還要惡毒、還要羞人。特別是關於你的那部分。」

我臉上一陣抽搐，肌肉亂跳。汗水浸上眉毛，吧嗒吧嗒掉在地上。

「她一回家，我就把她辭了，」我家嬋娟說，「這條毒蛇把你說成臭豬。」

「不行，別辭她。這擋不住她寫書，反而讓她寫得更惡毒。」

「那怎麼辦，小情郎？你知道她把事情抖出來，會在我們那些俊男倩女的朋友當中起什麼作用？我們要是不遭人竊笑，不遭人諷刺挖苦，就別想再邁進常常光顧的任何一家奢華酒吧。維維塔把你說成『無聊狗人，拿錢買通，讓他那倒楣的後代上頂尖的幼稚園，可是在閨房裡卻未盡其職』。」

「按兵不動，等我回家，」我請求她，「我們得見面商量。」

「你最好快點，寶貝。她已經寫到三百頁了。」說完，我的生命之光就以光子速度把聽筒砸進電話機座，震得我耳朵裡嗡嗡響著約翰・多恩詩中那倒楣的鐘聲。我假裝得了腸胃病，早早下了班，在街角的啤酒賣場暫時停下來，緩緩神，回顧一下這場危機。

我們雇用保母的經歷，說輕了，是大起大落。第一個是長得像史丹利・凱切爾[41]的瑞典人。她舉止利落，能讓屁孩們循規蹈矩，吃飯時老老實實，但就是孩子身上有不明不白的外傷。後來我們藏在暗處的攝影機拍到，她用摔角手稱為「阿根廷背摔」的動作，把我兒子從她後背一邊扔到另一邊，於是我質問她的方法。

她顯然不習慣他人干擾，把我從地上舉起來，足足離地面有三尺高，按在牆上。「你別亂管閒事，」她勸告說，「除非你願意被擰成個麻花。」

我火了，當晚就讓她捲鋪蓋走人，而且只需要一支特警隊的幫助。

接著是一個十九歲的法國住家保母，叫維洛尼克。她上下搖擺，說話輕聲輕語，滿頭金髮，一張嘴撅起來有艷情明星的風情，兩腿修長，身子幾乎要搭腳架才能立住。她遠非凶猛好鬥的類型。

不幸的是，她對我們孩子的看護，少了些深度，只是喜歡懶洋洋地半躺在躺椅上，一邊大吃巧克力軟糖，一邊翻著《W》雜誌。我比太太更靈活地適應了這位尤物的個人風格。我甚至還偶爾給她揉背，幫她放鬆；但是，當家裡的大管事注意到我開始用上了香水，還給這個小法國佬送床上早餐的時候，就在維洛尼克的酥胸山谷裡加了一張粉紅色的紙條，把她辭了，還把她的路易·威登包扔到街上。

然後就是維維塔。她年近三十，爽快，可是不勤快，但也侍奉孩子，知道自己的位置所在。因為她眼睛有點斜視，我動了惻隱之心，沒把她看成僕人，而是當成家庭一員。可是就是這樣，在她受到照顧、沒

41 史丹利·凱切爾（Stanley Ketchel，1886—1910），美國著名中量級拳擊手。

事能坐到特別舒服的沙發上時，卻在暗中大肆醜化她的恩主。

回到家，我躲在一邊仔細讀了她的誹謗文字，目瞪口呆。「此人刻薄，毫無用處，貪同事之功為己有，」這個女魔這樣寫道，「他語無倫次，精神分裂，一方面溺愛孩子，一方面孩子稍有不從，就用磨刀皮帶抽打孩子。」我翻看著這些惡毒的語言，被這一大堆文字咒罵得無地自容。

哈維．比德尼克是個沒有才氣的鄉巴佬，滿嘴髒話的小質子。他自以為很有趣，不停地講短小的笑話，讓來客感到索然無味，就是在五十年前的博爾希特[42]都不會讓人覺得好笑。他模仿書包嘴[43]，結果連膽子最大的人都驚恐尖叫跑出屋子。比德尼克的老婆也不是好貨。一個肥胖難對付的人，大腿極粗，腦子裡除了伯拉尼克和普拉達以外，一竅不通。這一對經常吵架，有一次，她訂做了一個魔術胸罩，價錢高達六位數字，比德尼克拒絕付款。她怒氣沖天，從他頭上抓下假髮，扔在地上，抄起防盜用的手槍，連開幾槍。比德尼克自己離不開偉哥，但他吃了藥就出現幻覺，把自己想像成老普林尼[44]。他老婆衰老得如同香格里拉拔來的胡桐，身上每一寸肉都打過保妥適肉毒素，或經過手術刀的整治。他們喜好的話題是詆毀朋友。博翼夫婦是「身材肥胖，算計摳門的人，端上桌的羊肉都是小塊，而且總是做不熟」。迪佛蒂卡林斯基醫生夫婦是「一對無能的獸醫，在他們手下死了不止一條金魚」。還有歐法爾一家，「那一對法國夫婦，十分墮落，竟與蠟像館裡的蠟人發生性接觸」。

42 博爾希特（Borscht）：位於北紐約，二十世紀中期紐約猶太裔中下階級的度假勝地，七〇年代後沒落。

43 書包嘴（Satchmo）：美國爵士樂手路易斯·阿姆斯壯（Louis Armstrong）的暱稱。

44 老普林尼（Pliny the Elder，23-79），古羅馬作家、博物學家。

我放下維維塔毫無遮攔的長篇手稿，走到酒吧台，仰頭灌了好幾杯混合烈酒，當即決定把她殺了。

「我們如果把她的手稿燒了，她還會複印，」我跟老婆嘮叨說，可是聽上去開始像雜耍戲班裡的醉漢。「如果我們出錢讓她閉嘴，她會把這寫進去；或是拿了錢再出書。不行，不行。」我說，模仿從小常看的警匪片中總有的惡棍。「一定要讓她失蹤。自然要弄得像是一次事故。也許是一次開車撞人，逃離現場那樣的事故。」

「你不開車，可愛的藍眼珠，」我面前這個又果斷，又調皮的女人提醒我，然後自己把一大杯苦艾苦酒一飲而盡。「還有我們的司機米利，開著你讓他兜圈的白色加長林肯轎車，都碰不上房子的牆邊。」

「那麼，炸彈行嗎？」我嚷嚷道，「加上一個精確定時器，在她登上健身機時引爆。」

「你開玩笑吧？」我家碧玉低沉地說，多少有點屈服於她的長期飯票。「人們給你鍮，你也造不出原子彈。記得中國春節時你點燃爆竹，卻掉進了褲子裡嗎？」小婦人大聲笑著。「天哪，那是在夸格，你突然從地上跳起來翻過車庫屋頂。好一個場景！」她大叫著。

「那我就把她推下窗戶。我們杜撰一張條子，或是用更好的辦法把她弄迷糊了，找個機靈的藉口讓她自己用複印紙寫個條子。」

「你能把一個跟你掙扎的一百五十磅的保母舉到窗台上，使勁把她推下去？就你這樣的塊頭？結果是你突發心肌梗塞，進雷諾克斯醫院急診室，比喀拉喀托火山爆發還緊急。」

「你以為我收拾不了她？」我說道，同時，弱不禁風的形象迅速化出，希區考克影片中的人物化入。「她可以自由行動，但要戴上鎖鏈。她要一點點地病入膏肓。」我想像的是電影《美人計》中的鏡頭變得迷糊不清，觀眾看出英格麗·褒曼中了克勞德·雷恩斯的毒藥，視線越來越混濁。我站起身，踉蹌著走向放藥品的櫃櫥，可是自己的視線也有點恍惚，伸手抓住碘藥瓶。真巧了，屋門一開，維維塔進來了。

「嘿，比先生你在家。被炒魷魚了嗎？哈哈。」這個惡人說著粗蠻的俏皮話，自己先笑了。

「快進來，」我說，「正好喝杯咖啡。」

「你知道我不喝咖啡，」她反對。

「我是說喝茶，」我改口說，搖晃著走到廚房，放上水壺。

「你又喝醉了，比先生？」這個眼睛挺尖的小人問道。

「坐下，」我指點說，沒理會她那粗俗的套近乎。此時我夫人已經倒在地上，呼呼大睡起來。

「比夫人需要多睡一會，」這個自鳴得意的保母眨著眼，責備我，「你們這些疲憊過度的大富豪，夜裡都幹了什麼？」我足智多謀，側看一眼，見她沒朝這邊看，便把瓶子裡所有剩餘的碘都倒進了維維塔的杯子。我又在碟子裡配上鬆軟的小點心，遞給了她。

「咦，」她說，「我們從來沒在上午十一點半共度良辰。」

「快點喝，」我說，「都喝了，要不然涼了。」

「黃菊茶是不是有點黑？」這個奸細有些疑問。

「胡說，」我給她解釋，「這種茶葉很少見，是剛從拉什卡爾加來的。都喝了。嗯，真有味，真提神。」

也許是因為早上過於緊張，也許是因為中午前我連續吃了幾粒信心增補片；反正我只記得，不知為何，我拿的正是放了藥的茶杯。馬上，我彎下腰倒在地上，滿地打滾，活像咬了鉤的魚。我躺在地毯上緊揪著胸口，跟艾瑟．華特唱《暴風驟雨》時一樣呻吟著。驚慌中，我們的保母喚來了救護車。

我還記得救護人員的面孔還有洗胃器，但最清楚記得的是，當我完全清醒後，維維塔遞上了辭職書。上面說她做保母做煩了，曾想過寫一本書，但又放棄了這個想法，因為書中的主角太令人生厭了，任何智商正常的讀者都不會感興趣。她辭職後要和一個百萬富翁結婚。這個人就是在維維塔經常帶孩子去玩的愛麗絲塑像旁看上了她。比德尼克夫婦如何了？我們不打算再雇保母了，除非機器人製造業出現巨大的技術突破。

奪命的味蕾
How Deadly Your Taste Buds, My Sweet

世上罕見的白松露，在勢利人眼中的價值又創新高。星期天，一顆二點六磅重的白松露在拍賣會上，以十一萬元賣給香港一位未透露姓名的買主。

——二〇〇五年十一月十五日，《紐約時報》

作為一名私人偵探，我願意為顧客赴湯蹈火，但收費是每小時五百張百元大鈔加上雜支——通常即是能讓我喝個痛快的約翰走路。不過，當像艾派羅・佛來西珀特這樣的甜妞兒大放費洛蒙走進我辦公室，要求提供服務時，我瞬間改為無償奉獻。

「我需要你幫個忙，」她坐在沙發上輕快地說，穿著黑絲襪的兩腿交叉，殺死人不償命。

「我洗耳恭聽，」我相信在語調隱含的性暗示沒有白白浪費。

「我需要你到蘇富比替我競標一件東西。當然錢由我支付。但重要的是我要匿名。」我頭一次能透視她的金髮，豐唇，還有快要把絲綢襯衫撐開的一對充氣飛船。小弟弟嚇壞了。

「我要競標什麼？」我問她，「為何妳不自己去？」

「一枚松露，」她說著，點了一支菸，「你出價最高可到一千萬元。如果競標激烈，也許可以出到一千兩百萬。」

「哦，」我說，臉上閃現出打電話給貝拉福醫院[45]之前常有的神色，朝她瞥了一眼。

「哎，別傻了，」她反駁說，顯然有點生氣，「你會得到雙份的報酬。但沒到手不能離開蘇富比。」

「如果我認為花五百萬元以上的價錢買個蘑菇，未免也太可疑呢，」我激她一下。

「也許吧，雖然邦迪尼松露賣了兩千萬，創下塊莖類的最高價紀錄。當然它最後是由阿迦汗購得，而且潔白無瑕。別讓我失望，我最近出價七百萬買一批鵝肝，才被一個德州石油大亨出了八百萬給搶標。我可是賣了兩幅夏加爾畫作換來那筆現金。」

「我記得在佳士得的拍賣品錄上見過那批鵝肝，不過開胃小菜大小的分量。但是，只要石油大亨高興就行。」

「他因此被謀殺了。」她說。

「不會吧！」

---

45 貝拉福醫院（Bellevue）：美國最早的公立醫院，以精神病科著稱。

「是的。羅馬尼亞一位伯爵把聖潔的鵝肝味道看得高過一切，他用一柄短劍刺進大亨的咽喉，盜走了那塊濕乎乎的小寶貝。」她說完，用第一支菸點燃另一支。

「運氣真背，」我說，兩眼盯著她。

「然而，他還成了笑柄，」她笑道，「那塊害他送命的高膽固醇殄物竟然是假的。你知道嗎？後來伯爵為了表示愛慕，把鵝肝放在愛沙尼亞大公夫人腳下，她剖開後發現是肝泥香腸，他當場自盡。」

「那真的鵝肝呢？」我問道。

「再也沒有找到。有人說是被好萊塢一名製片人在坎城吃掉了。另說一個叫阿布．哈密德的埃及人喜歡極了，把它壓進針頭，要直接注射到血管裡。還有人說，它落到了弗拉特布一個家庭婦女手裡，她以為是貓食，就餵食給她家的貓。」

艾派羅打開她的支票簿，拿出一張支票寫下我的服務費。

「只問一件事，」我說，「為什麼不讓別人知道妳要這顆松露？」

「伊斯坦堡的一幫美食家非要在他們的羅馬式寬麵上搭配松露。他們已經潛入我國。他們要不計一切手段弄到這松露。任何一名單身女人得到這美食，都有性命危險。」

突然，我感到一股寒風襲來。之前我唯一一次接手的涉及高價吃食的案子，相對簡單，只是涉及一種淡褐色的蘑菇。曾有人指控一位有政治抱負的人士對這蘑菇行為不檢點，但後來證明指控毫無根據。這一次我們談妥，我把松露帶到華爾道夫飯店一六〇〇號套房。艾派羅風情萬種地說，她將身穿上帝為她專配、與皮膚同色的裝束在套房等我。等她搖擺著能奪標得獎的臀部進了電梯後，我打了幾個越洋國際電話，接通了福楠·梅森美食店和馥頌美食。這兩家商店經理都欠我一點小人情，因為我曾經為他們追回被盜匪偷走的六條天價鯷魚。我弄到關於艾派羅·佛來西珀特的詳細情況，就搭車到了約克大道。

蘇富比的競標很是火爆。一道烤餡餅賣了三百萬，一對相配的煮熟雞蛋，上了四百萬，曾屬於溫莎公爵的肉末馬鈴薯餅賣出六百萬。松露擺上台面時屋裡一陣騷動，競標起價是五百萬元。當經受不住這緊張場面的競標人都暈倒後，我發現場上只剩下我和一位戴土耳其氈帽的胖子在對陣。到了一千二百萬元，這個肥胖的富豪玩夠了，退了出去，明顯有點精神恍惚。我得到了這塊二點六磅重的小玩意兒，把它存放在中央火車站的寄物櫃裡，然後直奔艾派羅的套房。

「你把松露帶來了？」她打開門問，身著緞子睡袍，裡面什麼也沒穿，只是平滑勻稱的肌膚。

「別擔心，」我說，臉上擠出一點笑容，「但是，我們是不是應該先談談數目？」我只記得眼前變得漆黑一團之前，我的頭頂撞上了好像是大量磚塊似的東西。醒過來時，面前頂著一把破手槍閃著微弱光亮，槍口直指我胸內幫助血液循環、長得情人節禮物形狀的那個小血泵。在蘇富比見到的那個戴土耳其氈帽的胖子，擺弄著槍栓逗弄我。艾派羅坐在沙發裡，漂亮的臉蛋浸在「自由古巴」雞尾酒中。

「好吧，先生，我們談談正事，」胖子說，把一個烤熟了的馬鈴薯放在桌子上。

「什麼正事？」我裝出些笑容。

「好啦，先生，」他喘了口氣，「你肯定知道，我們談的不是普普通通的冬蟲夏草。曼德勒松露在你這。我想要過來。」

「從未聽說過這個東西，」我說，「噢，等一下，是不是那個花花公子哈羅德．瓦涅斯庫，去年在他公園大道寓所被打死，為的就是這個？」

「哈哈，先生，你真逗。我給你講一講曼德勒松露的歷史吧。曼德勒的皇帝娶了當地最胖、也最不漂亮的女子。一場豬瘟後，曼德勒所有的豬都死了。皇帝問他的皇后願意不願意幫忙尋找松露。她只要聞一下就馬上知道松露的價值。松露賣給了法國政府，擺在羅浮宮展覽。一直到第二次世界大戰，德國士兵把它搶走了。據說，戈林正要把它放進嘴裡，傳來了希特勒自殺的消息，倒了他的胃口。戰爭結束後，松露消失了，後來出現在國際黑市。一群商人買下了，帶到了阿姆斯特丹的戴比爾斯公司，想把它切成小塊單獨出售。」

「松露在中央火車站的一個寄物櫃裡，」我說，「你要把我殺了，配你那個馬鈴薯的，頂多就是酸奶酪和細香蔥。」

「開個價吧，」他說，艾派羅進了另一個房間，我聽到她打電話給丹吉爾。我好像聽到她說「薄餡餅」。貌似她籌到了購買一塊大薄餡餅的第一筆款子，可是在運往里斯本的途中，其中的餡被掉包了。

我出了價錢，十五分鐘後，我秘書帶來了一個重二點六磅的盒子放在桌上。胖子兩手顫抖，打開盒子，用文具刀切了一小薄片嘗了嘗。突然，他狂怒起來，朝松露亂砍，開始抽泣。

「老天，先生！」他大叫道，「這是假貨！這假貨確實很精緻，冒充松露的一些堅果口味，可是恐怕我們面前的只不過是個大麵團。」說著，他旋即跑了出去，屋裡只留下我，還有驚呆的女神。艾派羅擺脫了驚愕，水汪汪的眼睛直直地衝我射過來。

「我很高興他走了，」她說，「現在只有你和我了。我們把松露找回來兩人平分。它要是有催情作用的話，我一點也不吃驚。」她說著，讓睡袍滑了下來，開敞得恰到好處。我熱血奔湧，幾乎要屈從天性，做出所有荒唐的形體動作，但是我的生存本能提醒了我。

「抱歉，寶貝，」我縮了回來，說，「我不想像妳上一任丈夫那樣，腳趾掛上標籤被放在市殯儀館裡。」

「你說什麼？」她臉色蒼白。

「對了，親愛的。是妳殺了國際美食家哈羅德．瓦涅斯庫。根本用不著動腦子就能看出來。」她要衝出去，可是我擋住了門口。

「好吧，」她無可奈何地說，「我猜我的氣數已盡。是的，是我殺了瓦涅斯庫。我們是在巴黎認識的。我在一家餐館點了魚子醬，被吐司的尖邊畫傷了。他過來幫我。讓我印象特別深的是，他對紅雞蛋表現出的居高臨下的厭惡。開始時一切都好，他給我買了大量禮物：卡地亞的白色蘆筍，一瓶昂貴的香水，他知道我喜歡出去時擦在耳後。瓦涅斯庫和我從大英博物館偷走了曼德勒松露。我們身上繫著繩索，倒吊下來，用鑽石割開了玻璃罩。我想做個松露雞蛋餅。但是瓦涅斯庫另有想法。他要偷著賣了，用賣的錢在卡普里島買棟別墅。一開始，什麼事情都挺好。可是後來我注意到餅乾上的鱘魚魚子醬越來越少。我問他是不是在股票市場上遇到了麻煩，但他說不是。不久我發現，他暗中把鱘魚魚子醬換成比較便宜的一種。我責備他在薄餅上抹魚子醬，他生了氣，不再搭理我。隨後他變得很節儉，也在乎錢了。一天晚上我出乎意料地回到家，撞見他正用肺魚魚子醬做冷盤。接著是一場大吵大鬧。我說我要離婚。為了誰來保管松露，我們爭來爭去。我一股怒氣衝上來，從壁爐台上抓起松露朝他打去。他倒下時頭撞上了餐後薄荷糖。為了隱藏殺人工具，我打開窗戶，把松露扔到正路過的一部卡車上。從那時起我一直在找。好了，瓦涅斯庫不在了，我本來確信這次我終於能拿到。現在我們就能找到它、分享它；你和我分享它。」

我記得她的身子靠著我的身子，讓我兩隻耳朵直冒熱氣。我還記得當我把她交給紐約警察時她臉上的表情。她被戴上手銬由穿警服的人帶走，望著她標致的身材，我長嘆一聲。然後我奔往卡內基食品店，點了燕麥麵包加熏肉片，裡面抹上芥末醬再配上醃黃瓜——美夢中的美食。

吾主榮光，賣了！

Glory Hallelujah, Sold!

網路拍賣網站eBay最近塗上了宗教色彩：有人出售祈禱詞，收取現金。愛爾蘭基爾代爾郡有一人，自詡祈禱門人，他在網上賣五份祈禱詞，每份競拍起價是一英鎊。買方若急需神助，五英鎊可當即買下。

——二〇〇五年八月，《教堂通訊》

電視節目《歡歌曼舞督察員》的收視率下降到百分之負三十四，尼爾森公司裡的人說，偶然轉到這個節目的人就像伊底帕斯一樣，把眼球摳了出來。結果，拖無可拖的工作人員集中到製片人哈維·奈克達的辦公室；每個編劇面臨兩種選擇：要麼辭職，要麼拿手槍到一間黑屋子去，把門一關。《影視名人》把這事比作「相當於隕石毀滅了恐龍那樣的大災難」。作為此事的參與者，我不會推卸自己的責任。但是我要辯護說，我基本上只是在最後一刻才被招來，在拍攝醫院燒傷病房的場地專門做些滑稽動作，以活躍氣氛。

前幾季裡，我在電視台的工作不大順，出現我名字的許多系列節目都是敗筆，而且一個接一個如同地毯式轟炸，沒有間隙。我的經紀人格納·路易斯越來越不願意回我電話了。最後，當我在Nobu餐館點了鮭魚片，當面問他時，他開誠布公地指出，對電視行業而言，節目末尾爬上螢幕的演職員表中，若出現哈米什·斯佩特這個名字，就等於含有劇毒。

我雖對事態的演變毫無所動，可是又需要攝取最低水準的熱量，好繼續與活人為伍，所以我仔細查閱了招聘廣告，在《村聲》上看到一則令人好奇的廣告。上面說：「招聘吟遊詩人撰寫特殊文稿，報酬高，無神論者免談。」

青少年時期我曾是懷疑論者，但最近翻閱了維多利亞的秘密的商品目錄後，開始相信最高神靈。我覺得這可能是賺點小錢的機會，就刮了臉，穿上最莊重的行頭，一件三個扣眼的黑色上裝，任何喪葬儀式中的抬棺人見了都會嫉妒。是雇私人汽車，還是乘坐公共交通，我算計了一下，然後就直奔地鐵站，晃到布魯克林，來到石狐狸球藝學院。這是一間遊藝室，鋪著綠色氈布的球桌邊總是圍著一幫讓人生厭的傢伙，手裡擺弄著撞球桿。樓上就是「莫氏祈禱高手」全國總部。

我走進辦公室，感覺到的遠非教堂的肅穆，而是《華盛頓郵報》辦公室裡的紛雜忙亂。到處都是小格子間，裡面，寫手們抓耳撓腮，一直不停地拼湊祈禱詞，好滿足人們明顯的大量需求。

「進來，」一個肥碩的形體一邊向我打招呼，一邊把一堆甜點心塞進嘴裡消滅殆盡。「莫伊．博頓費德，祈禱高手。要幫忙嗎？」

「我看了你的廣告，」我喘著粗氣說，「在《村聲》上。就在擅長男女按摩的瓦薩爾的廣告下面。」

「對了，對了，」博頓費德舔著手指頭說，「你是想作讚美詩文案。」

「讚美詩？」我問道，「就像《上帝是我的領路者》？」

「別這麼刻薄，」博頓費德說，「這可是大買賣。你應該感到運氣來了。有經驗嗎？」

「我寫過一個電視劇試播集，叫作『修女之緣』，講修道院裡一些虔誠修女製造中子彈的故事。」

「祈禱詞可不一樣，」博頓費德對我說的不感興趣，「祈禱詞要充滿敬畏，還要給人以希望，不過，有天賦的祈禱詞作者，與你們這些寫日常賀卡祝詞的雇傭文人之間真正的區別在於，祈禱詞的措辭要很謹慎，如果不能實現，那些呆人，哦，那些信徒也不能起訴。你明白嗎？」

「我想我明白。你是盡量避免惹上花費大的官司，」我跟他開玩笑。

博頓費德眨了眨眼。他身穿專門訂做的衣服，戴著勞力士手錶，表明他滿腦子生意經，堪比山姆．英薩爾[46]，或已故的威利．薩頓[47]。

「你信不信？開始時我就像你一樣，地位低賤，索然無味，」他說，開始講述他的創業歲月。「先是拎著旅行包，和拉爾夫．洛朗到處賣領帶。我們都賺了一票。他是在時裝業賺錢，我是從信徒身上賺錢。我們得面對現實，大多數人都有緊迫的宗教需求。我是說，每個白痴都做禱告。我利用光明節陀螺[48]，在筆記型電腦上拼出了幾篇充滿哀怨的祈禱詞。當時正跟我在床上彈跳的應召女郎[49]突發奇想，登上eBay拍

46 山姆．英薩爾（Samuel Insull，1859-1938）：通用汽車創始人。
47 威利．薩頓（Willie Sutton，1901-1980）：美國銀行大盜。
48 光明節陀螺：猶太人的傳統玩具，四面刻有字母。
49 應召女郎（ginch）：ginch 原是只「男人內褲」，在俚語中亦有「妓女」的意思。

賣。很快地人們的要求大量湧來，我只得雇些人手了。我們有祈求健康的祈禱詞，有處理愛情問題的祈禱詞，有希望提工資的祈禱詞，買輛瑪莎拉蒂的祈禱詞，或者如果你是個鄉下人，那就求雨，當然還求幾匹小馬駒。消息傳開了，我們最熱門的祈禱詞也傳開了：『啊，天父，啊，天帝，願我在榮耀的天國永駐，也願我中彩票大獎。啊，只此一次，我主大獎。』就像我說的一樣，祈禱詞要寫得巧妙，如果對上蒼的祈求無效，我們也不至於吃傳票。」

此時門開了，一張滿是愁苦的臉探了進來。「嘿，老闆，」一位寫手驚慌地喊叫著，「阿克倫有人要一份祈禱詞，好讓他妻子給他生個兒子。我的思路堵死了，想不出新詞。」

「噢，我忘記告訴你了，」博頓費德對我說，「最近我增加了一項服務，根據顧客的要求擬寫祈禱詞。我們編寫文字，滿足那些微不足道的人的要求，寄去符合個人喜好的祝願。」說完，他轉向他的下屬吼叫著，「你試試『祝願下賤女人橫臥在綠草叢中，大量產崽』。」

「出色極了，老博，」寫手說，「我就知道這是一句神聖的祈禱詞——」

「等一下，」我突然插話說，「可以改為『祝願她碩果纍纍』。」

「嘿，」博頓費德說，「你可以呀。這小子有一套。」我正沉浸在對我的讚美之中，電話響了。博頓費德搶過了話筒。

「聖人莫伊．博頓費德，祈禱高手，請講。什麼？很抱歉，女士，妳得找我們的投訴部門。我們不能保證妳求什麼，上帝就賜給你什麼。上帝只能盡其全能。但是不要灰心喪氣，親愛的，妳能找到你的貓。噢，我們不退錢。妳可以看一看祈禱詞確認合約上的小字，上面寫了各方應負的責任，我們的，還有上帝的。不過我們可以送妳一次免費的祝福；還有，如果妳去皇后大街上的龍蝦洞餐廳，告訴他們是上帝叫妳去的，你會免費得到一份雞尾酒。」博頓費德掛了電話。「每個人都找我麻煩。上星期有人起訴我，因為我們給一個女人寄錯了信。她想讓聖靈略施援手，祝福她整容手術成功。可是我錯把冀望中東和平的祈禱詞寄給她。結果沙龍撤出了加薩走廊，她下了手術台卻成了傑克・拉莫塔[50]。所以你說怎麼辦？一笑了之，還是認真以對？」

道德操守是個相對概念，最好交由讓保羅・沙特或漢娜・鄂蘭這樣洞察細微的頭腦來思考。而現實情況是，當寒風呼嘯，唯一住得起的地方是第二大道路邊的紙箱時，崇高的原則和理想通常跟著馬桶裡的旋渦水流，消失無影；所以，我推遲了爭取諾貝爾獎的計畫，咬著牙把自己的才思租賃給了莫伊・博頓費德。在此必須坦白，此後六個月裡，你或是你家人在eBay上購買或競標得到的各種神靈祈求，都出自哈米什夫人從前的天才兒子斯佩特之手。我的得意之作有：「至愛上帝，我年方三十，卻已禿頭。請歸復我的毛髮，賜予靈丹妙藥，覆蓋稀疏頭頂。」另一個經典之作是：「吾主上帝，以色列之王，我欲甩掉體重二十磅，但卻無能為力。請剔掉我的多餘肥肉，讓我遠離澱粉糖分。嗚呼，行走在致命誘惑的峽谷之中，請讓我躲開肥脂和有害的合成脂肪。」

也許，網上拍賣的最高價格祈禱詞，是我那段感人的訴求：「歡慶吧，以色列，股票市場再度上揚。主啊，納斯達克是否也能上升？」

是的，百元大鈔如天降甘露進了我的賬戶；直到有一天，兩個在西西里大筆投資水泥行業的黝黑大漢進了辦公室。當時博頓費德出去了，我在辦公桌前，就一句祈禱詞是否合乎仁義道德進行爭辯，因為一些新屋主祈求把他們的承包商給閹割了。我還沒問來客有何貴幹，其中一個叫契奇的漢子就抓住我的後脖子，把我提起來舉出窗外。下面是大西洋路，我雙腳亂蹬，尖叫起來。

50 傑克．拉莫塔（Jake LaMotta）：世界中量級拳擊冠軍。

「一定是搞錯了，」我叫喊著，緊盯著下面的人行道，擔心著自家性命。

「我們的姐姐上週贏了一句祈禱詞，」他說，「她在eBay上花了大價錢。」

「是的，是的，」我結結巴巴地說，「博頓費德先生六點鐘回來。他負責——」

「聽著，我們來這是要跟你說一說。那個樓房管理委員會最好同意她買房子，」契奇解釋說。

「我們聽說那句祈禱詞是你寫的，」手握尖錐的大漢接著說，「那讓我們聽一遍，大聲點。」

我可不想拒絕這個要求讓他們掃興，就用瓊·薩瑟蘭[51]的嗓音，顫聲顫氣地唱起來。

「我主萬福。請以無邊的智慧，賜給我公園大道和七十二街上的一套雅致樓房，臥室兩間，廚房寬敞。」

「她花了一千兩百元買下這個祈禱詞。所以最好事情能成，」契奇說著，把我從窗外提了進來，掛在衣服架上，如同唐人街餐館櫥窗裡掛著的烤鴨。

「要麼能成；要麼，我們把你的四肢分別寄到四個不同的地方。」說完，他們離開了祈禱高手莫伊．博頓費德的辦公室。等確信他們已經走遠後，我也遠走高飛了。

不知道那幢公寓最後是否接納了特蕾莎．卡勒布雷西。但是我可以說，儘管火地群島上沒有多少書寫的工作，可是我的四肢仍舊完好無缺。阿門。

---

51 瓊．薩瑟蘭（Joan Sutherland，1926—2010），澳大利亞女高音。

當心，墮落的巨擘

Caution, Falling Moguls

我在《紐約時報》電影欄目裡找來找去，心急地想找幾部胡打亂鬧的片子，勉強熬過這夏日裡讓人們聯想到約克納帕塔法[52]的酷熱和氣壓表讀數。有意思的是，我小有運氣，發現了一部另類影片，名字叫《少年有志》。這部懷舊式的紀錄片，記敘了一個傻小伙從扮演鬥牛士配角起步，成長為好萊塢片廠大明星，後因一連串的盲目自信、婚姻破裂，以及政府未選良辰吉日就封閉了他藏匿毒品的住所，最後一蹶不振。我

52 約克納帕塔法（Yoknapatampha）：美國作家福克納作品中虛構的地名。

為這部歐里庇得斯式的悲劇深深觸動，夜不能寐，趕出了一部劇本，主題便是荷花園裡的傲慢自大。這部劇本定將成為《天降神兵》[53]之後未曾出現過的藝術和商業盛事。其中幾個場景如下：

淡入曼哈頓西邊一個木瓜攤。販賣法蘭克福香腸和椰奶，對於五十來歲的他來說，是種謙卑的朝聖旅程。他的臉飽經風霜，過於蒼老，盡顯出命運無情。他叫麥克．烏姆勞，一邊榨菠蘿汁，一邊自悲自嘆。他的老闆埃克托比在一旁觀看。

烏姆勞：聖靈保佑。我，麥克．烏姆勞，曾是一家夢工廠的執行長，風光無限，利潤滾滾，現在卻淪落在此，兜售熱帶飲料，才不至於忍飢挨餓。

埃克托比：烏姆勞，快一點。有人喊著要買玉米熱狗。

烏姆勞：馬上就來，老闆。正在切木瓜，保留維生素，有利於健康。（他拿玉米熱狗給一個糾纏不休的八歲兒童，自言自語著）真是哭笑不得，我從賣吃的起家，到頭來還是如此。

（鏡頭淡出，搖晃到烏姆勞第一份工作所在地，派拉蒙附近，他擔任大製片《海狸害怕踐踏》拍攝場地的外繪供應商。鏡頭移到員工餐台，製片人哈里．埃比斯正挑選各類食物。）

埃比斯（銜著莫里邦德，他的應聲蟲）：怎麼辦？拍攝計畫是八個星期，可是兩年過去了還沒完沒了。男主角羅伊．羅雷弗拉克斯在Gap

53 天降神兵（Howard the Duck）：美國科幻電影，曾獲得包括「最差劇本」在內的四項金酸梅獎。

裡擦槍[54]被抓個正著。我的潰瘍長成煎餅那麼大也不足為奇了吧？哎，你，倒楣的服務員，來點黑咖啡和肉桂捲。

莫里邦德：那就先跳過他，老埃。至少等他假釋出來再拍。這下我們的預算要多加幾個零了。但是你跟他簽合約時就知道，他不是個省油的燈。

烏姆勞：很抱歉，先生，恕我大膽。我聽見了你們的對話。為什麼不乾脆寫掉他這個角色呢？

埃比斯：什麼？誰說的？是我耳朵聽錯了，還是那個低賤的送餐小子說的？

烏姆勞：先生，您想想。他演的角色雖然有趣，但並非關鍵。給編劇一點鞭策，就能巧妙地改寫腳本，讓您永遠擺脫羅雷弗拉克斯。按照《影視名人》作的評斷，您付給那鍋糊塗粥的錢超標太多了。

埃比斯：我打賭他說的對。這隻小爬蟲正好把我眼前的迷霧撥開了。你這個壞小子腦子轉得挺快，顯然不光是隻米蟲。

烏姆勞：順便提一下，我要是有潰瘍就不喝黑咖啡，也不吃肉桂捲。黑咖啡裡的咖啡因太多，肉桂捲裡含大量香料。讓我給您精心配置一份有利於健康的Oeuf[55]。

埃比斯：這個文藝復興的天才是不是無窮無盡？前廳辦公室裡有你這小腦袋瓜的位子，從今以後你就負責鼠疫片廠製作的所有影片。

（鏡頭淡入：中國戲院的電影首映會。「一年後」的字樣疊印在戲院大廳內光彩奪目的人群上。電影界的巨擘、超級明星摩肩接踵，與經紀人、導演和歡喜不禁的年輕新秀相互說著客套話。鏡頭模仿希區考克

---

54 擦槍：此處的原文為frottage，意指「摩擦性器官帶來性高潮」，但不專指手淫。

55 法文，雞蛋。

風格，從大吊燈搖下轉為特寫：麥克．烏姆勞雙手顫抖。他正在與他的新經紀人，賈斯珀．納特米特竊聲私語。）

納特米特：放寬心，小伙子。從沒見你這麼緊張。

烏姆勞：你不會緊張嗎，納特米特？這是我擔任製片人的第一部影片。如果《蒼白的內分泌學家》不成功，我就完了。從製片廠金庫吸出來的五千萬元將永遠存放在湯馬斯．克拉普那裡[56]。

納特米特：你要跟著感覺走。你的本能說了，美國現在能夠接受關於各色人種大融合的影片了。

烏姆勞：我把我的前途都押上了。可是又該怎樣呢，納特米特？我是個夢想家。

（一個柔和的聲音打斷了烏姆勞的幻想。）

寶拉：我願意助你美夢成真。

（烏姆勞突然轉身，畫面切入：一位金髮佳人，二十來歲，顯然來自奧林帕斯神山，途經休·海夫納的莊園。）

烏姆勞：哇？不期而至的碧玉容顏，妳是哪位？

寶拉：寶拉·佩薩麗。我現在只是顆新星，但是，憑著年少好運，我可以俘虜整整一批人的心。

烏姆勞：我來幫忙達成妳渴望成名的願望。

56 湯馬斯·克拉普（Thomas Crapper）是抽水馬桶發明之初的重要推廣者。此處意指將錢沖進馬桶，付諸流水。

寶拉（撫摸著他的臉頰）：我向你保證，我訓練有素，深諳報答的藝術。

（烏姆勞禮服上的領結像風扇一樣急速旋轉。）

烏姆勞：我希望娶妳為妻，讓妳成為蒼穹上最璀璨的明星，包括大犬星座。

寶拉：麥克．烏姆勞要結婚？誰都知道，你這好萊塢影視城新興的塔爾伯格[57]，每個夜晚都燈紅酒綠，在一個個包廂裡向嫩臉蛋們獻殷勤。

烏姆勞：到今晚為止。今晚，將山搖地動。

納特米特（跑過來）：影評來了。影片大受歡迎。你再也不必回覆另一通電話了！

（鏡頭切到「鼠疫片廠」外景。切入內景：新的老總麥克·烏姆勞坐在辦公室，牆上掛著安迪·沃荷、法蘭克·史帖拉的作品，偶爾也有弗拉·安吉利科，說明他愛好廣泛。他身邊滿是點頭哈腰的應聲蟲。現任副總裁納特米特也在場。在場的還有製片廠兩位無處不在的業務員，阿維·麥特和托比·格丁。化入兩個鏡頭：烏姆勞朝滿臉驚恐的秘書奧娜斯小姐大聲叫喊，下著指令。）

烏姆勞：給我接通沃夫蘭·菲克斯，告訴他我送他一本《蠢雞》。告訴他讀一下關於藥劑師那部分。把我的灣流準備好，西雅圖會預先放映《不情願的殯儀館整容師》。讓飛機沿著羅迪歐街滑行過來，午飯後

57 塔爾伯格（Irving Thalberg，1899-1936）：好萊塢製作人，年紀輕輕就晉身為大片廠的管理階層。

在Spago餐廳門前接我。

格丁：老烏，週末的數字來了。《沙鼠與吉卜賽人》打破了音樂廳的每一項記錄。

麥特：《殘疾鬥牛士》也一樣。你簡直是點石成金。

烏姆勞：小伙子，你們誰讀過《吉爾伽美什》？（兩人都使勁點頭。）

納特米特：巴比倫聖經？讀過，讀了好幾次，怎麼？

烏姆勞：我要跟你們說一個詞：音樂劇。

納特米特（崇拜地）：只有你才能，只有你才能……

（寶拉．佩薩麗，現已是烏姆勞夫人，走了進來，一身緊身的凡賽斯凸顯出她妖艷的曲線，好似薄餅粉包裹著薄肉排。）

寶拉：《嘔吐》的預先通報來了。他們稱我是新一代的嘉寶，稱你是深思熟慮，握有實權的大主管。（烏姆勞從口袋裡拿出一件冕形頭飾給她戴上。兩人親吻。）

格丁：愛情真了不起。看看這富貴的一對。洪水和災難籠罩著大部分藍色星球，這兩人卻一帆風順，因互敬互愛和巨額財富，而更加親密。

（淡入：庫納巴拉布蘭外景拍攝場地。導演利博・謝吉正在朝烏姆勞大發脾氣。）

謝吉：你這個粗俗的市儈。這部影片本來應該是我的，我全權負責藝術監督！

烏姆勞：改動幾句話又怎樣？

謝吉：幾句話？音樂會上那個盲人提琴手現在成了海軍特種兵？

烏姆勞：這才更有看頭。你知道，謝吉，我不是那種消極被動，只懂得忙著數錢的人。我富於創造性，做事喜歡親自動手。還有，莫扎特就算了，我已經決定要用搖滾樂。我還聘請了催吐劑樂團來伴奏。

謝吉（用道具鋤頭朝烏姆勞打去）：我要把你碎屍萬段，你這個既無能又亂管閒事的傢伙！

（警衛衝進來，把謝吉帶走。）

納特米特：別擔心，老烏。馬上就換一個更聽話的，城裡到處都是這種滿腦子幻想的人。為什麼不找個溫順的小貓咪？不要讓那個冒牌導演弄得你緊張兮兮。

烏姆勞：不是這件事。是寶拉，我夫人。

納特米特：哦，噢，怎麼了，老烏？

烏姆勞：她跟男主角阿迦門農．沃斯特有一腿。怎能責備她呢？我是個工作狂，她和美國最叫座的明星去巴黎拍片，我竟然視若無睹。片子兩年前就拍完了，可是他們還在拍攝現場。傻子都能明白這是怎麼回事。

納特米特：那個鳥人？你一個電話，就能把他的前途毀了。

烏姆勞：不行，我不走下三路。我祝願他們花好月圓。真有意思，我們曾經發誓永遠相愛。可是現在，她連汽車鑰匙藏在哪都不告訴我。

（鏡頭切入：直升機降落，阿維．麥特興奮地跑向烏姆勞。）

麥特：看看這些數字，了不起的數字。《愛情燴菜》重拍版大為叫座。老烏，你就是把洛杉磯電話簿拍成電影，也會成為大片。

納特米特：老烏，你眼睛裡有種我從未見過的狂野，要是再加上化身博士般的奸笑，我希望你別太過火。

（音樂聲大起。鏡頭淡出，六個月後。烏姆勞位於霍姆比山莊的房子裡。他的辦公室牆上胡亂掛著勞森伯格和賈斯培·瓊斯的畫，偶爾點綴著維美爾的畫，把現代氣氛沖淡一些。納特米特正在安慰烏姆勞，旁邊，好幾個面無表情的搬運工，正在把畫和屋裡的一切搬走。）

納特米特：我說過沒有，不要心急？我教導過你沒有，不要過於自負，講得我上氣不接下氣，還舉了伊卡洛斯[58]的例子？

烏姆勞：教導過，可是……

納特米特：可是什麼？阿維·麥特說你可以把電話簿拍成大片只是在吹嘘。只有傻瓜或是自大狂才接下這樣的挑戰。尤其是電話黃頁簿。

烏姆勞：我做了什麼？

納特米特：你做了什麼？你花了創記錄的兩億元，用水泥建造了一個馬鈴薯餅，有個屁用。我想，你不能責備「壽司總匯」的董事會把你開除。這家日本聯合企業要賣掉多少魚才能打平開支。

（烏姆勞的最後一件家具搬走了，地方執法官把他揪起來，扔到偏僻破落的小街上，同時，一個貝都因人家在屋裡架起了帳篷。鏡頭淡出回到現在。烏姆勞正在忙著給六個不耐煩的建築工人斟橘子蜜汁。一輛車停到路邊。烏姆勞的律師奈斯特．威克菲揮著一份文件出現。）

威克菲：烏姆勞，烏姆勞！你忠實的梭倫顯靈了[59]。

58 伊卡洛斯（Icarus）：希臘神話人物，以蠟為翅膀，因飛得太高，羽翼被太陽融化而摔死。

烏姆勞：如果是律師費的消息，我身無分文了。

威克菲：別胡說，都是好消息。我們起訴「壽司總匯」的事有些年頭了，但我們贏了。

烏姆勞：你是說，製片廠不再拒付我的豐厚補償金了？

威克菲：你說對了。根據你要求的條件，因解除你的合約，他們要支付六億美元（six hundred million clams）。小伙子，你完好無損！

烏姆勞（扯下圍裙）：我有錢了！六億啊！我能買下整個水果攤連鎖店，炒了埃克托比。我能把我的房子，我的飛機，我的維美爾畫買回來！

威克菲：嘿，等一下。我們是贏了「壽司總匯」。可是我說的是「六億蛤蜊」[60]，指的是雙殼類。

（威克菲做手勢，一輛冷藏車開始卸下給烏姆勞的補償。烏姆勞手持撬蛤蜊的刀子撲向威克菲，鏡頭拉遠，升高，攝入全景，讓人回想起《亂世佳人》中受傷的南方聯盟士兵的畫面。然後鏡頭淡出。）

---

59 梭倫（Solon）是古希臘的法律改革家。此句意味官司有了好結果。

60 六億蛤蜊（six hundred million clams）：clam在俚語中指金錢，但也同時是蛤蜊的英文。

拒之門外
The Rejection

鮑里斯・伊凡諾維奇打開信，讀了信中內容後，他和妻子安娜臉色變得蒼白。信上說，曼哈頓頂尖的幼稚園不收他們三歲的兒子米夏。

「不可能，」鮑里斯・伊凡諾維奇慌亂無措地說。

「不對，不對，一定是哪裡出錯了，」他妻子也說，「他畢竟是個聰明的孩子，討人喜歡，性格外向，語言技能良好，玩蠟筆和『大馬鈴薯』拼圖也得心應手。」

鮑里斯・伊凡諾維奇恍惚起來，陷入遐想。小米夏未能進入有聲望的幼稚園，他怎麼面對貝爾斯登的同事呢？他好像能聽見西蒙諾夫的嘲笑：「你不懂這些事。人際關係很重要。必須要拿錢疏通。你真是個土包子，鮑里斯．伊凡諾維奇。」

「不是，不是這麼回事，」鮑里斯．伊凡諾維奇好像聽見自己爭辯，「我打點了每一個人，從老師到清潔工，可是這孩子還是不成。」

「他面試時表現好嗎？」西蒙諾夫會問。

「很好，」鮑里斯會回答，「雖然他玩搭積木有點費事……」

「搭積木不熟練，」西蒙諾夫輕蔑地說，「這說明情感上有嚴重問題。誰會要一個不會搭城堡的痴呆？」

但是我為什麼要同西蒙諾夫討論所有這一切呢？鮑里斯．伊凡諾維奇心想。也許他不會聽到這事。

然而週一上班時，鮑里斯．伊凡諾維奇一走進辦公室就清楚了，所有人都知道了這事。他的辦公桌上放著一隻死兔子。西蒙諾夫進來，臉上陰雲密布。「你知道，」他說，「這個孩子永遠也不會被任何一所好大學錄取。肯定進不了常春藤名校。」

「就因為這件事，迪米特里．西蒙諾夫？幼稚園的事影響到高等教育？」

「我不想說出名字，」西蒙諾夫說，「但是，許多年前一個有名的投資銀行家，沒能把兒子送進一家相當出色的幼稚園。顯然，有傳聞說他兒子用手塗抹繪畫的能力有問題。不管怎樣，他父母挑選的幼稚園不接受這個孩子，他被迫……」

「怎麼了？告訴我，迪米特里．西蒙諾夫。」

「只說一句吧，當他五歲時要被迫去上……公立學校。」

「這世界，簡直就沒有上帝，」鮑里斯．伊凡諾維奇說。

「到了十八歲，他小時的同伴都上了耶魯或是史丹佛，」西蒙諾夫接著說，「但這個可憐鬼，因為從來沒有獲得有相當地位的幼稚園的畢業證書，只被理髮學院錄取了。」

「被迫去修剪鬍鬚，」鮑里斯．伊凡諾維奇大叫道，想像著可憐的米夏身穿白制服，給有錢人刮臉。

「因為在裝點小蛋糕或玩沙盤遊戲這方面不具備扎實的背景知識，這孩子對殘酷的現實生活毫無準備，」西蒙諾夫繼續說，「結果只能做些勞力工作，最後開始在雇主那裡東偷西摸，好有酒喝。他已經成了酒鬼，沒救了。當然，小偷小摸演變成盜竊，最終導致殺死女房東，把屍體肢解了。在絞刑場上，這個孩子把一切都歸罪於沒能上一個好的幼稚園。」

＊＊＊

當天夜裡，鮑里斯．伊凡諾維奇無法安睡。他腦子裡出現了那所遙不可及的上東區幼稚園裡歡欣明亮的教室。他想像三歲的米夏身穿Bonpoint童裝，在學剪紙，拼貼，然後休息吃點零食：一杯果汁，一塊

「小金魚」餅乾或巧克力餅乾。如果米夏得不到這些，那麼，生活，甚或生存本身，都全無意義。他又想像自己的兒子長大成人，站在一個名聲顯赫的公司執行長面前。這位執行長認為，米夏應該深刻瞭解各種動物和形狀，所以正在考他關於這些事情的知識。

「為什麼……呃，」米夏顫抖地說，「這是三角形，哦，不對，是八角形。啊，這是小兔，噢，對不起，是袋鼠。」

「會唱兒歌《你認不認識鬆餅人》吧？」執行長問道，「花旗美邦的所有副總裁都會唱這首歌。」

「先生，說實話，我從來沒正規學過這首歌，」年輕的米夏承認，而他的工作申請書就落進了廢紙簍。

* * *

此後幾天，安娜．伊凡諾維奇變得焦躁不安起來。她和保母吵架，責備她給米夏刷牙是左右橫著刷，不是上下豎著刷。她不再定時吃飯，哭成了淚人。「我一定違背了上帝的意願，才有此報應。」她哭嚎著，「我一定犯了數不盡的原罪——買太多Prada的鞋子。」她想像著漢普頓巴士想把她碾死。當亞曼尼精品店毫無理由地取消她的記賬賬戶時，她轉向了臥室，開始偷情。這很難瞞過鮑里斯・伊凡諾維奇，因為他在同一間臥室，幾次問道身旁的男子是誰。

當一切到了最絕望的時候，一位律師朋友山姆斯基打電話來，告訴鮑里斯・伊凡諾維奇仍有一線希望。他提議在馬戲團餐館見面並共進午餐。鮑里斯・伊凡諾維奇變了裝，因為幼稚園的事傳出來後，這家餐館不再歡迎他。

「有一個人叫弗奧多維奇，」山姆斯基說，嘗了一勺烤布蕾，「他可以為你兒子爭取第二次面試，作為回報，你只需秘密地讓他瞭解一些會影響某些公司股票突然上漲或急劇下降的內部信息。」

「這可是內線交易，」鮑里斯．伊凡諾維奇說。

「除非你是聯邦法的堅訂定擁護者，」山姆斯基挑明了說，「天哪，我們在談進入一所高檔幼稚園的事。當然捐一筆款也有幫助。不要太張揚。我知道他們正在找人支付新建大樓的費用。」

正說著，一名侍者認出戴了假鼻子假髮的鮑里斯．伊凡諾維奇。服務生怒沖沖地撲過來，把他拉出門外。「好啊！」領班說，「你以為能騙過我們。出去！說到你兒子的未來，我們永遠都缺餐廳雜工。別了，廢物。」

晚上在家裡，鮑里斯．伊凡諾維奇告訴妻子，只有把在阿瑪根塞特的房子賣了，好湊錢賄賂。

「什麼？我們在鄉下那幢可愛的房子？」安娜說，「我們姊妹幾個就是在那房子裡長大的。我們房子有條通道從鄰居宅第裡穿過到達海邊。通道正好穿越鄰居餐桌。我還記得跟著家人從幾碗麥片粥間走過，去海邊游泳玩耍。」

不過命該如此，在米夏第二次面試的早上，他的熱帶魚突然去世。事先沒有任何先兆，也沒生過病。實際上那條魚剛做了全面體檢，醫生宣布一切良好。自然地，孩子感到悶悶不樂。面試時他碰也不碰樂高或拼圖玩具。老師問他幾歲了，他氣呼呼地說：「誰知道呢，大胖子。」他再一次給刷掉了。

鮑里斯·伊凡諾維奇和安娜現已一貧如洗，住進了無家可歸者收容所。那裡他們遇見了許多其他家庭，也是孩子給高級幼稚園拒之門外。有時他們和這些人交換食品，相互講些私人飛機和冬天在佛羅里達棕櫚灘度假的故事。鮑里斯·伊凡諾維奇發現，有些人比他還不幸，都是些純樸的人，因為家中財產不足，購房申請被樓房管委會回絕了。這些人苦難重重的臉龐後面，都有一顆虔誠的美好心靈。

一天，他和妻子說：「現在我相信某些事情了。我相信生活有其意義，所有人無論貧富，都將住進天堂，因為曼哈頓肯定是不適合居住了。」

維也納蛋糕也歌唱
Sing, You Sacher Tortes

自從讓四十二街上的純樸大眾為之著迷的休伯特跳蚤博物館[61]消失後，百老匯周圍地區還未曾見過哪個奸詐之徒，能比得上舉世無雙的偽劣之人費邊・旺奇。旺奇一頭禿頂，口銜粗雪茄，如中國長城般冷漠無情；他屬於老一派的製作人，身材不大像大衛・貝拉科[62]，而更似「壞小子」雷斯[63]。他屢次失敗，慘不忍睹，可是竟然還能為每一次新的戲

---

61 休伯特跳蚤博物館（Flea Museum）：正式名稱為「Hubert's Museum」，以展示畸形怪胎、表演雜耍及馬戲演出聞名。

62 大衛・貝拉科（David Belasco，1853-1931）：美國劇作家、戲劇導演，身材高大。

劇敗筆籌到經費，這與線性理論一樣，依舊令人費解。

一天，我在殖民地唱片行翻閱拉斯蒂・華倫的唱片，一隻穿著塞・西姆斯[64]服裝的粗手臂搭在我肩上，皮諾香水的丁香花味和陳腐廉價的白貓頭鷹雪茄味道攪和在一起，嗆得我頭痛。我能感覺到衣袋裡的錢包本能地縮了起來，如同受了驚嚇的鮑魚。

「好啊，好啊，」一個熟悉的粗嗓音響起，「想到誰，就碰到誰。」

這些年，我和那些按法律定義屬於白痴的人一樣，把錢投入旺奇好幾齣頗有把握的戲碼中。最後一齣是《天仙子情事》，是倫敦西區的進口貨，寫的是可調節式蓬蓬頭的發明和製造過程。

「費邊！」我佯裝親熱，大叫一聲，「自從你跟出席首演的劇評家們大吵大鬧以後，我們就沒見過面。我常常想，你朝他們噴催淚噴霧劑，是不是把事情弄得更糟了。」

「我不能在這說話，」這個看似猿人一樣的戲劇製作人偷偷摸摸地說，「否則一些討厭鬼會聞到風聲，聽見我的某個想法，這想法保證會把我們的身價提升到只有天文學家才懂得的數字。我知道上東區有一家小飯館。你請我吃飯，也許我會賞你機會，合夥參加一項娛樂節目。這個節目哪怕僅在跑鄉村的小劇團上演，就能讓你後代的後代，也富得流油。」

如果我是烏魚，僅這篇開場白就足以使我噴射出黑墨，可是還沒來得及呼叫鎮暴警察，我就被他一番甜言蜜語拉走了，一轉眼到了一家不起眼的法式餐館。每人只花上二百五十元，就能吃得像伊凡·傑尼索維奇[65]一樣。

63「壞小子」雷斯（"Kid Twist" Reles，1906-1941）：紐約黑幫的冷血殺手，身材矮小。

64 塞·西姆斯（Sy Syms）：美國低價連鎖服飾品牌。

65 伊凡·傑尼索維奇（Ivan Denisovich）：蘇聯作家索忍尼辛小說《伊凡·傑尼索維奇的一天》的主人公，書中描寫了蘇聯勞改營的生活。

「我把所有傳世的音樂劇都分析了一遍，」旺奇邊說邊點了一瓶五一年的木桐酒莊葡萄酒和當日推薦菜集錦。「他們都有哪些共同之處？看看你知道不知道。」

「音樂好，歌詞好，」我試了試。

「當然了，笨蛋。這太容易了。我找了一個沒沒無聞的天才給我寫精準合適的歌曲，就像日本人量產豐田車一樣。現在，這孩子替人遛狗借以餬口。但是我參與了他的作品。他寫的歌，都是歐文·柏林恨不得自己也能寫出來的。錯了，關鍵是要有一本好書。我就是在此出山。」

「我從不知道你還能拿筆在紙上寫字，」聽我說著，旺奇把一連串蝸牛吸食個乾淨。

「所以，我們的節目，」他接著說，「Fun de Sièle[66]——notes bien[67]，題目上玩了個小把戲，整個維也納就因此轟動了。」

「當代維也納？」我問。

「不是，老笨蛋，是更老舊的時代。所有女子都乘馬車，穿長裙，如同《窈窕淑女》或《琪琪》中的那個樣子。更別說許多古里古怪的波希米亞人，在指環路滿街哼唱《樂一通》。只有克林姆，只有席勒，只有史蒂芬·茨威格。再加上叫作奧斯卡·柯克西卡的俊俏浪蕩鬼。」

「人物都很傑出，」我表示讚賞，旺奇的雙頰泛起了紅暈，遙向法蘭西的波爾多區域致意。

「所有這些大名人，都在為哪個狐狸精發狂？」他繼續說，「是愛情嗎？是當地一位名叫阿爾瑪·馬勒[68]的性感尤物。你一定聽過她的

---

66 Fun de Siéle：法文，世紀之樂，作者將Fin de Siéle（世紀之末）改動一個字母，成為「世紀之樂」。

67 notes bien：法文，「請注意」。

68 阿爾瑪·馬勒（Alma Mahler）是二十世紀初維也納文藝圈著名的花蝴蝶，曾與畫家克林姆（Gustav Klimt）、席勒（Egon Schiele）交往，並先後嫁給音樂家馬勒（Gustav Mahler）、建築師格羅佩斯（Walter Gropius），以及小說家魏菲爾（Franz Werfel）。

事。她把他們都耍了，馬勒、格羅佩斯、魏菲爾。這些人，你說吧，他們都和她寬衣解帶。」

「哦，這我不知道——」

「哦，我知道。我是說，當然了，我在小心翼翼地打破敘事的常規。否則的話，小子，我們會催人入眠。我還在使語言現代化。比如布魯諾．瓦爾特碰到了威廉．福特萬格勒，說：『嘿，福特萬格勒，週六晚上你會去里爾克家燒烤嗎？』福特萬格勒說：『燒烤？』意思是他根本沒受到邀請。瓦爾特說：『噢，對不起，我想我不應該大嘴巴亂說。』你瞧，對話有了當今城裡的韻味。」

旺奇吞咽他那份熱乎乎的鵝肝時，我能感覺到後背上幾塊脊椎骨開始有點發麻，我鬆開領帶，好喘口氣。

「所以說，」他繼續下去，「首先是序曲，必須輕鬆、吸引人，但要使用十二音體系，向荀白克致意。」

「肯定還配上史特勞斯所有可愛的圓舞曲——」我插了一句。

「別學伊格納茲那樣，」旺奇揮手把我的想法打發掉，「我們把圓舞曲保留到劇終，因為觀眾已經忍受了兩個小時的枯燥無味，要緩口氣了。」

「是啊，可是——」

「這時，大幕拉開，布景採用包浩斯風格。」

「包浩斯風格？」

「比如，『形式服從功能』。實際上，第一首歌是沃爾特・格羅佩斯、密斯・凡德羅，和阿道夫・洛斯就如同《少男少女》大幕一 ，便是《賽馬好運歌》一樣。歌曲唱完，阿爾瑪・馬勒本人出場。她穿的是珍妮佛・洛佩茲斥之為小氣的那款雙排扣短大衣。隨她出場的是她丈夫，作曲家古斯塔夫。『我們走，憂鬱的小貓，』她說，『快走。』」

「『讓我再吃一塊果餡卷，』身體虛弱的作曲匠說，『我需要讓血糖高一點，才不至於陷入每天每日對生死問題的糾纏。』」

「這時，就在他們對話期間，」旺奇解釋說，「格羅佩斯跟阿爾瑪眉來眼去，把她挑逗起來。她唱道，『我就喜歡格羅佩斯的溫存。』第一場結束，燈光變暗。第二場開始，燈光亮起時，她已經和格羅佩斯同居了，同時又背著他跟柯克西卡偷情。」

「那她丈夫古斯塔夫呢？」我問道。

「你說呢？他望著多瑙河，一邊想著阿爾瑪，一邊擺弄他的小弟弟，準備縱身一跳，正巧阿班·貝爾格騎自行車經過。」

「怎麼會！」

「『幹什麼，馬勒？不是想做個膽小鬼一走了之吧？』他問。馬勒把自己的婚姻煩惱都傾訴給他。貝爾格說他也是一樣，還告訴馬勒，貝爾格斯街十九號有一個大鬍子，一小時幾個芬尼，就能把事情理順。不過不知什麼原因，這位大師把一小時改成五十分鐘了，什麼原因別問我，他會有戒備心的。」

「貝爾格斯街十九號？等一等，馬勒可從未到佛洛伊德那裡看過病，」我反駁他。

「沒事。我把馬勒寫成衝動型結巴，讓佛洛伊德很不爽快。這是孩提時期留下的痛苦記憶。馬勒曾目睹地方執法官在奶油裡淹死。如今舊景重現。舞台中央放下一個沙發。佛洛伊德唱一支了不起的喜劇曲子『你想什麼就說什麼』。當然，他是佛洛伊德，他說的都有雙重含意。我們從維也納的傳統習慣中剔除陳舊乏味的內容，為的是說明馬勒這樣的偉大作曲家，也拜倒在石榴裙下，也貪杯中之物，還著迷早期爵士樂，儘管他的工作是寫崇高的音樂。佛洛伊德解開了馬勒的心結讓他又能創作，馬勒因此戰勝了自己對死亡的恐懼。」

「馬勒怎樣戰勝對死亡的恐懼？」我問。

「以死亡戰勝對死亡的恐懼。我琢磨出來了。這是唯一的辦法。」

「費邊，這裡面有些漏洞。你沒寫馬勒文思枯竭。你說因為失去阿爾瑪，他都絕望了。」

「正是如此，」旺奇說，「所以他起訴佛洛伊德行醫無術。」

「可是他已經死了，怎麼會起訴？」

「我可沒說這個故事完美無缺，所以才有波士頓和費城交響樂團來救火。這時，阿爾瑪已經和柯克西卡同居，又在哄騙格羅佩斯。你明白這裡的荒唐了嗎？她唱『和柯克西卡情投意合』，但曲中的小和弦告訴觀眾的是另外一回事。還有，我寫了一個極好的場景：在一家咖啡館，格羅佩斯斥責柯克西卡損壞他剛剛建成的辦公樓。他說：『柯克西卡，是你往我最新的突破性建築醜壘大廈上潑髒水。』柯克西卡則說，『如果你把那堆枯燥的盒子叫建築，對，是我潑的。』格羅佩斯火大了，把自己的那份牛肉朝柯克西卡扔過去，讓柯克西卡暫時失明，還要求決鬥。」

「等一下，」我說，「這兩位偉人從未有過決鬥。」

「在我們賺錢的小劇目中也沒有決鬥，因為在最後一刻，魏菲爾裝扮成掃煙工人上場。阿爾瑪和他一起下場。這一對傷心的情郎唱起可能是百老匯歷史上最感人的改編曲目：《我漂亮的小肉丸，你真壞》。第一幕結束。」

「我不明白。為什麼魏菲爾裝扮成掃煙工人？我還要說，如果馬勒死了，他和阿爾瑪又怎麼像他們實際生活中那樣，破鏡重圓？」

我滿肚子疑問，最好現在就問，免得觀眾交了錢後不那麼寬容，抄出用來切腹的傢伙。

「魏菲爾要隱藏身分，」旺奇解釋說，「因為卡夫卡把他新寫的短篇傑作唯一的手稿借給了魏菲爾，現在卡夫卡進了城想要回手稿。可是，魏菲爾因為在遊行時手頭沒有五彩碎紙，只好把手稿撕成碎片。至於阿爾瑪和古斯塔夫重歸於好，到了第二幕，她又欺騙魏菲爾，靠上了克林姆，隨後又甩了克林姆，給席勒作裸體模特。」

「但是——」

「別跟我說這事沒發生過。席勒畫的所有那些穿吊襪帶的女人中，為什麼不能有阿爾瑪．馬勒呢？不過這沒關係，因為你還沒吃驚地喊『天哪』，她就偷瞥了席勒和克林姆一眼，到了第二幕中間，和她同居的不是別人，正是那位路德維希．維根斯坦。兩人二重唱『如果無法言說，則須沉默不語』。但是這沒起作用，因為阿爾瑪對路德維希．維根斯坦說『我愛你』，可是他分析了這句話，對每個字的定義都不贊同。合唱隊載歌載舞，歡慶語言哲學的誕生。阿爾瑪雖受了打擊，但她的性衝動分毫未損，呼喊道『波普爾，親親我。』於是卡爾．波普爾出場。」

「停住！」我說，腦子裡想像著觀眾如同北美馴鹿遷徙般，大批逃出劇場。「你從來沒對我說過，你從何時變成的作家？我知道，你一直願意以出品人身分出現。」

「自從一次意外，」旺奇回答道，小心翼翼拿勺子把最後一點冰淇淋泡芙搜刮乾淨，「一次，家裡賢妻和我在掛照片。她拿一把榔頭往牆上釘釘子，可是不巧把我砸昏了。我昏迷足足有十分鐘。我醒來後，發現我寫的每一個字都如契訶夫或品特那樣好。我剛給你講了一遍的所有這些東西，是我刮臉時一下子想出來的。嘿，那剛進來的不是史蒂芬．桑坦嗎？你數到五十，我就回來。趁他躲開我之前，先給他出一個主意。可憐的人，老了。上次他給我他的電話號碼裡面少了個數字。你坐好，來一杯法國白蘭地，我把劇情結尾詳細講給你聽。」

說完，他就從飯桌中間穿行，去找一個像是《小夜曲》作者那樣的人。在我刺破手指，用O型血寫下支票之時，最後想到的旺奇的樣子是：他擅自鑽進一個包廂，令包廂裡的人十分窘迫，遭到狂怒的訓斥。至於我贊助《世紀之樂》一事，劇院裡有一種很老的講究：任何劇目，只要弗朗茨．卡夫卡在台上撒沙子，跳起踢踏舞，那就風險極大。

裝修錢坑

On a Bad Day You Can See Forever

夏日早上，紐約一家相當高雅時尚的健身俱樂部裡，會員們正在晨練，忽聽到通常地層斷裂之前才有的隆隆巨響，急忙尋找藏身之處。不過人們很快便不再擔心是否發生了地震，而是發現唯一的斷裂來自我的肩膀。因為我身旁有一位杏仁眼狐媚在做伏地挺身，為了引起她的注意，逗她歡欣，我想挺舉起相當於兩架史坦威鋼琴重的槓鈴，結果脊椎骨突然捲成了莫比烏斯環的形狀，而大部分軟骨轟然斷裂。我發出的叫聲就好像是被人從克萊斯勒大樓頂上扔了下來。我就這麼捲曲著給抬走，整個七月都在家養傷。臥床休息期間，我從一些名著中尋找安慰。

是四十年來我一直想要讀的名著書單。我硬是避開了修昔底德、卡拉馬佐夫的小伙子、柏拉圖對話錄，還有普魯斯特的瑪德蓮蛋糕[69]，拿了一本但丁的《神曲》湊合，希望一飽眼福，飽覽紮著烏黑髮髻的原罪罪人，就好像直接從維多利亞的秘密商品目錄中走出，半裸半遮，珠光寶氣。很不幸，作者只知探究大問題，很快就讓我從美艷的夢中醒來。我發現自己在冥府漫遊，身邊是維吉爾，再也沒有誰比他更適合描繪這裡的風土人情了。我自己也算是詩人，真是敬佩但丁妙手構造的這個陰曹地府，聚集了懦夫、惡棍等形形色色的惡人，而且讓每一位都適得其所，永受磨難。書讀完後我才發現，但丁沒有具體寫到裝修承包商。前幾年我裝修房子時大受刺激，腦子裡還在哐哐作響，現在，往事禁不住又再現眼前。

一切都是從購買曼哈頓上西城一座聯棟獨門的小褐石房子開始的。門格勒地產公司的威爾龐小姐向我們擔保，這是一生中最棒的一次購買。價格適中，沒超過一架隱形轟炸機。房子號稱可以「隨時入住」，也許，朱克一家[70]或是一車隊的吉普賽人可以「隨時入住」。

「只有一項挑戰，」家中女人說，打破了女子室內輕描淡寫紀錄，「重新裝修可有意思了。」我邁過幾塊鬆散的地板，努力保持樂觀，把房子比作卡菲斯修道院[71]。

「想想我們把這堵牆打掉，隔出一個加利福尼亞式廚房，」妻子誇口說，「還可以有一間書房，每個孩子都有自己的房間。把水管略微動一動，就可以有各自的浴室。我敢打賭，甚至可以隔出一間你一直想要

---

69 瑪德蓮蛋糕是《追憶似水年華》中的最令人印象深刻的情節：主角吃著瑪德蓮蛋糕，過往記憶開始甦醒流瀉。

70 朱克一家（Jukes family）：美國社會學的研究案例，為的是研究疾病、貧窮與遺傳如何影響犯罪。

71 卡菲斯修道院（Carfax Abbey）是小說《德古拉》中，吸血鬼在倫敦的居住地。

的遊戲室，在你思考哲學時，玩玩彈珠台輕鬆一下。」

賢妻關於裝修的幻想膨脹得漫無邊際，而我口袋裡的錢包，卻開始像是魚兒咬上了鉤，撲通亂跳。想到這些年來我辛勤勞作，為施尼爾森兄弟殯儀館編寫悼詞賺來的收入，都要揮霍殆盡，我就不得不用高聲部爭辯一番。「妳真以為我們需要這個地方？」我說，祈求那買房的衝動，能像羊癲瘋一樣減輕些。

「這個地方我喜歡的是，它沒有電梯，」賢內助溫情地說，「你就想像不出上下五層樓梯對心臟有什麼作用？」

除非貪污舞弊，否則買這個新房子真是超出了我的能力。我使出了演藝人的全部說唱本事，才從心存懷疑的銀行家那裡爭取來貸款。起先他們把我回絕了，但在發現反高利貸法中有些漏洞後，態度便和緩下來。下一步是物色合適的裝修承包商。投標信一封封都寄來了，我不禁注意到，大多數投標價用於裝修泰姬陵似乎都綽綽有餘。最後我選中一個既可疑又合理的估價。它來自馬克斯．阿博加斯特，又稱齊克．阿博加斯特，另叫史佩克．阿博加斯特的辦公室。此人是個面色蒼白的小瘦猴，兩眼發光，如同西部墾荒裡強行侵占他人土地的人。

我們在房子那兒見了面。很快我心裡就明白了，我面前這個人，的確是那種寧願把銀礦炸癱，把無辜的苦力都埋在裡面，也不願意發工資給工人的老闆。我的內人被阿博加斯特油腔滑調的親和力吸引住，喜形於色地靠在我身邊，醉心於他那番柯勒律治般的幻境描述，幻想著承包商頗具天分，能創造奇跡。他向我們保證，六個月內我們的夢想便會實現。他還保證，如果預算超出預計水平，他將拿自己的長子祭天。在這等專家面前，我低聲下氣地詢問，可否先裝修臥室和浴室，這樣我們就可以搬進來，離開暫時棲身的破落旅館，躲開那個急不可待的放高利貸的傢伙。

「這根本不是問題，」阿博加斯特說得乾脆，從一個手提箱裡拿出一份合約書。那手提箱裡從販賣二手木材到加盟啞劇戲團，各種合約應有盡有。「在此簽字，其他各類細節可隨後添加，」他說，並把一支筆塞在我手裡，讓我匆匆瞄過文件上的行行虛線，還有大量空白的地方。不過我肯定，隨後把文件湊近小火苗上，其中的內容就能顯現出來。

接下來，是敝人忙不迭地簽寫支票，確定交易，拿到各種資料。「六萬塊錢買鉚釘好像太貴了，」我顫顫地說。

「是貴，但是你可不想停工，讓我們到舊貨店裡翻箱倒櫃去找。」為確認我們友情，我們握手後拐過街角到了一家大酒館。阿博加斯特點了一大瓶香檳招待眾人。打開瓶塞後才發現，環球航空公司把他的行李放錯了航班；就在我們舉杯慶祝時，他的錢包消失在桑吉巴爾。

＊＊＊

三個月後，我第一次體認到我們落入了粗俗拙劣的人手中。我們真正擁有這座正在裝修的房子之後，沒出幾個小時，我想在淋浴間沖個澡。因為我們祈求進度快些，阿博加斯特的嘍囉們把原來的浴室砸得粉碎，又胡亂拼湊了一個作臨時之用。他們用鐵達尼號船體上那長長的裂縫作裝修樣本，如果妻子或我想要使用，那整個浴室就會變成海底王國。作為免費贈送，他們把熱水管的口徑測量得十分精心，讓水壓達到一定強度。結果任何倒楣鬼站到噴頭下，都會被燙成龍蝦醬。我大叫一聲，衝出玻璃板隔門後，好幾個操波羅的海沿岸口音的人向我保證，預計最新式的熱水器零件抵達後，一切都會修好。零件來自丹吉爾，但只有在某個流放政治犯從要塞[72]安全偷運出來時，才能運出。

臥室裝修的進度正相反，沒有按我們的要求提前完成，因為馬丘比

72 此處的原文「Casbah」在阿拉伯語中泛指「城堡、要塞」，雖然大寫可能專指某處，但無法推敲確切地點，只能譯為「要塞」。

丘爆發了登革熱。看起來，在收到紫檀木和花梨木這批重要木材之前，我們臥房的裝修工作是不可能真正開始了。可是不知為什麼，這批木材運給了拉普蘭[73]和我們同姓的一對夫婦家裡。幸好我們的地板上擺放了一個粗木箱子，頭頂正是快要掉下來的灰板。第一個夜晚我們就飽嘗石棉灰塵，聽夠了水流不停的馬桶傳來的艾格尼絲颶風的聲響，最後我終於昏昏沉沉像是睡了，但天剛亮，就被一大群裝修工揮舞板斧，敲砸壁柱，哼唱《凱西．瓊斯》的聲音給吵醒了。

我跟他們說這項改裝沒有寫在原初的計畫裡，但阿博加斯特正好走進來。他來此是要瞧一瞧，前一天完工後，他手下沒人在飲酒作樂的地方給綁走。他解釋說，是他自行決定要安裝一整套警報系統。

「警報？」我問，頭一次覺得住在聯棟獨門的褐石房子裡，比在我們老式公寓樓房裡更容易受人宰割。在公寓樓裡，滿頭白髮的看門人收了大筆小費，可以為樓裡的住戶赴湯蹈火。

「絕對需要，」他回答，大口咽下巴尼時鮮餐廳直接運自日內瓦帶編號的保險櫃的鱘魚。「任何連環殺手都可能走進這個地方。也許你願意睡覺時讓人把喉嚨割斷？或是你嬌妻的腦袋讓某個手拿鐵錘，對社會心懷不滿的流浪漢給敲碎？而且，還是在佔了她便宜之後下的手。」

「你真的以為——」

「不是我以為，朝聖者。這座城市到處都是精神狂亂的危險分子。」說完，他在裝修估價單上又加上九萬元。至此，估價單的厚度直逼《塔木德法典》[74]，而且其解釋也同樣五花八門。

我不想輕易讓裝修工給哄騙，堅決要求在新加任何費用之前，先仔細查看風險—收益比率的細微差別。我對這種比率的瞭解，就如同對量

73 拉普蘭（Lapland）：芬蘭北部一個省。
74 塔木德（Talmud）：猶太古法典，共二十卷，內容超過兩百五十萬字。

子力學的瞭解一樣扎實。因為最近我投資的幾種熱門股票都消失到百慕達三角，毫無蹤影；所以我告訴工頭，若要裝警報系統，我一分錢也拿不出。夜幕降臨後，傳來什麼聲音，我肯定一定是個殺人狂在撬開前門，就在床上連大氣也不敢出，心跳得就像德勒斯登大轟炸一樣響。我趕緊打通了阿博加斯特的電話，同意裝一套十分昂貴的西藏高科技動態感應器。

＊＊＊

數月已過，已經推遲好幾次的完工日期，好像沙漠裡的水一再蒸發。各種藉口羅織起來比得上一千零一夜。幾個泥水匠得了瘋牛病；運載玉石和天青石的船在奧克蘭外海遭遇海嘯，沉入海底；最後，把電視從床腳箱子裡搬出來需要一個關鍵的電動裝置，可是這個裝置卻原來是小精靈手工製作的，只有靠月光才能運轉。實際完成的零碎工作又很粗糙。一次，我和一位角逐諾貝爾獎的學人，才思奔湧，正在全新的書房交流，突然地板翹了起來，敲掉了這位潛在的諾貝爾獲獎人兩顆牙齒，還給我贏得了支付創紀錄賠償費的美名。

我向阿博加斯特當面表示，費用超支已經直逼二十世紀二〇年代德國的通貨膨脹率[75]，令我十分不滿。而他將其歸咎於我「瘋子一樣亂改訂單」。

「你放心，小兄弟，」他說，「你要是不再主意變來變去的，阿博加斯特公司四週之內就跟你毫無瓜葛。我向上帝發誓。」

「沒這麼便宜，」我火冒三丈，「我一秒鐘也不能忍受這種來自遠古時代的侵擾。根本就沒有一絲一毫的私人空間。就說昨天，終於偷得了一點『生存空間』，我正要同我的紅粉知己盡享神聖的愛情，突然，

---

75 一九二三年，德國國內物價上漲幅度是854000000000%。

你的工人們把我舉起來挪開，好讓他們掛一個燈座。」

「看這個？」阿博加斯特說著，臉上閃出偷竊郵件的人通常才有的笑容。「這叫『佳靜安定』，吃下去。不過要是我，每天就不會超過三十粒。關於其副作用的研究尚無定論。」

午夜時分，一陣輕微的聲響觸發了樓下的動態感應器，驚得我直愣愣跳離床，像氣墊船一樣懸在半空。我確信聽到了一個變態殺人狂跳上樓梯。我在一堆尚未打開的紙盒子裡亂翻，急於找個能保衛家人的銀色物件。慌亂中，我踩到了眼鏡，臉朝下撞在了阿博加斯特為裝飾保母的浴室而進口的石英岩海豚上。這一下，我的中耳就像蘭克公司[76]的標誌一樣轟響不停。另外，我兩眼還直冒金星，算是給我的獎賞。我想就在那時，天花板塌了下來，砸在我妻子身上。顯然阿博加斯特為了安裝警報系統，拆下一根壁柱。而這壁柱，正是房子的一根頂梁柱。還有若干灰渣塊也選擇這個時候，一起剝落下來。

早上，人們發現我縮在地板上，哭得抑揚頓挫。我家娘子讓一個身材魁梧，身穿制服，頭戴男式寬簷帽的女人帶走了，她一邊走，一邊不停地說什麼她總是過分信任陌生人。最後我們把房子賣了，買回一首歌曲。我記不得是《我很憂鬱》，還是《兄弟，能否賞一分錢》了。但我仍然記得房屋檢查員的臉色，還有他們查點各處違反房屋建築法時的幸災樂禍。他們說，糾正這些違規行為的辦法，可以是重新裝修，也可以是接受死刑注射。我還恍惚記得我被帶到一位法官面前。這位法官兩眼如炬，像格雷考筆下的紅衣主教，他判我交付巨額罰款，罰款金額排列了許多個零，使我的身價一下子消失得無影無蹤。至於阿博加斯特，有傳聞說，他企圖從一個人家盜走一個名貴的喬治王朝式樣的壁爐台，偷換上一個陶瓷贗品，但被卡在煙囪裡。他最後是不是讓火苗吞噬，我不

---

76 蘭克公司（Arthur Rank）：英國電影公司，其標誌是一人手持大錘敲響大鈸。

清楚。我想在但丁《神曲・地獄篇》中尋找他，但是，我猜想這些經典是不增補新內容的。

天才們，請注意：只收現金！

Attention Geniuses: Cash Only

去年夏天，我參加了一項健身活動，要把我的預期壽命縮減到像十九世紀煤礦工人那樣長。作為活動的一部分，我沿第五大道慢跑，跑到斯坦普飯店的室外咖啡館停下來，叫了一杯冰鎮的螺絲起子雞尾酒，振奮一下有氣無力的呼吸系統。橘子汁是我身體鍛鍊必需的，因此，我痛飲幾口。起身時我做了一連串的手舞足蹈動作，好似小鹿斑比出生後邁出的頭幾步。

我的大腦讓斯米諾伏特加浸泡得太久了，恍惚記起，我說好了要在回家路上買點山羊起司餡餅和荷蘭麵包乾。可是在路上，我昏沉沉地邁進了大都會博物館，錯把它認作是Zabar's食品店了。我踉踉蹌蹌穿過展廳，腦袋像個波浪鼓轉來轉去。漸漸地我恢復了一些神志，發現我正在欣賞「從塞尚至梵谷：加謝醫生個人收藏」。

從牆上的說明中我瞭解到，加謝醫生是位外科醫生，治療像畢卡索和梵谷之類的人。這些小伙子因為吞吃了半生的田雞腿，或是灌了太多的艾苦酒而身體不適。他們尚未成名，身無分文，就拿一幅油畫或彩筆畫，支付加謝醫生看病開藥的費用。加謝醫生願意接受這些畫證明他洞察未來。我沉浸於集於一廳的雷諾瓦和塞尚的作品，設想這些畫都是從醫生候診室牆上直接運來的，同時也情不自禁地想像著自己身臨類似的情境。

十一月一日：福星高照！我，史基奇克斯．費博曼醫生，今天接到諾亞．昂特蒙奇推薦的病人。昂特蒙奇並非他人，正是心理分析學家中的天才，專門醫治創造型人才的病症。他的診所雲集了名聲顯赫的娛樂界客戶，只有威廉・莫里斯經紀公司的「客戶名單」能夠與之媲美。

「佩普金這小子是個作曲家，」昂特蒙奇醫生在電話上告訴我。他正在為潛在客戶打通關節。「他可是傑瑞・克恩，或是科爾・波特，但又有現代風格。問題是，這孩子滿腦子自卑內疚感。讓我猜？這跟母親有關。你給他的頭腦疏通一下，消除焦慮。你不會後悔的。我預見他能獲得托尼獎、奧斯卡獎、葛萊美獎，甚至還可能獲得自由勳章。」

我問昂特蒙奇他為何不自己醫治佩普金。他爽快地說：「手頭滿滿的。而且都是精神分析類的急診。有住在一個不許養狗的公寓樓的女演員，喜歡戲水的電視氣象員，還有一個製片人就是無法讓麥克・艾斯納回他電話。關於佩普金嘛，我把他列在有自殺傾向的監控名單上了。反正，盡你所能吧。治療進展不必告訴我。你自己做最後決定。哈哈。」

十一月三日：今天見了默里・佩普金。毫無疑問，此人全身上下都是藝術家的氣味。頭髮蓬鬆雜亂，兩眼迷濛，屬於沉溺於工作，可是又因吃飯、房租以及付給兩個前妻贍養費等蠅頭小事，受到各種拖累的類型，十分罕見。佩普金作為作曲家似乎很有遠見。他在皇后區弗萊徹兄弟殯儀館的樓上，選了一個空餘的房間琢磨他的詞曲。有時，他也在殯儀館做化妝顧問。我問他為何以為自己需要精神分析。他坦白說現實雖然是他寫的每一個音符、每一行歌詞都閃著天才之光，但他覺得對自己過於嚴苛。他承認他挑選女人鍥而不捨，卻都是自討苦吃；最近他剛和一位女演員結婚。但他們之間的關係並非以西方傳統的道德規範為準，更像是以《漢穆拉比法典》為依據。不久他發現她和他們的營養師同床共枕。兩人吵了起來，她拿他的韻律字典敲了他的頭，結果他忘了《乾骨頭》的歌詞。

當我提到醫療費用時，佩普金靦腆地說，他當時手頭很緊，最後一點積蓄買了一個鴨汁壓榨機。他問我們能否制訂某種分期付款計畫。

我給他解釋說財務義務對醫療本身十分關鍵，於是他提出個想法，拿他寫的歌曲抵款。而且他還指出，數年後，如果我獨自擁有《跳起土風舞》或《來點小丑》的版權，報酬自會不少。之後從他作的歌曲得到的收入，不僅能撐滿我的錢包，全世界還會稱頌我培育出一個蹣跚起步的音樂家，與蓋希文、披頭四或馬文．漢立許齊名。我一直對自己獨具慧眼，發現才能而自豪；而且回想起某個叫作卡謝或卡歇的法國順勢療法老醫生，給梵谷開藥方換得一幅靜物畫，權作購買壓舌板的費用。想到此，我接受了佩普金的提議。我還思忖了我自己擔負的財政義務，發現它最近就像是給榔頭砸過的大拇指一樣腫脹起來。我在公園大道有個套房，在漢普頓海灘有一棟房產，兩輛法拉利跑車，還有一位狐狸精。這是某個晚上我在單身酒吧遊蕩時吊上的一個昂貴小尤物。她身著丁字泳褲，通體閃亮，讓我笑得合不攏嘴。再加上我過於痴情，眼看就囊中羞澀。不過，腦子裡某處發出的聲音向我斷言：冒險試一試面前這根繃得很緊，可是又散亂的發條，不僅會大有收益，而且，如果某一日好萊塢要拍他的生平影片，史基奇克斯．費博曼還可能拿個最佳配角獎。

五月二日：今天，從我開始為默里．佩普金看病已有六個月之久。雖然我依然堅信他是個天才，但也必須說，我沒料到要牽涉這麼多的工作。上週凌晨三點，他打來電話跟我說他做了一個很長的夢。夢中，羅傑斯和哈特成了鸚鵡出現在他窗口，還幫他的車上蠟。幾天後我正在看歌劇，他發短信給我，威脅說如果我不馬上開車到翁貝托海鮮屋見他，聽他講關於把杜威十進制分類法寫成音樂劇的想法，他就自殺。無奈，考慮到他的天賦，我只好恭聽。看來他的天賦只有我一人承認。半年來他給了我足有一公斤的歌曲，有的是在餐巾紙上草草創作的。雖然這些歌都還沒在出版社找到知音，但他確信到時候每一首歌都是經典。其中一首小曲叫「在尤馬，你做我的飛馬；在紐約，我做你的鸛鳥」。這首歌，最好是低聲哼唱，許多地方隱含多重含意，很是機靈。與此相反，

《時間無形》則帶著哀傷，好似愛爾蘭的《丹尼小子》。我同意佩普金的說法：只有天才男高音才能唱好這支歌曲。還有一首愛情歌曲，佩普金向我保證最終將榮登榜首。歌的名字叫「今年，我的熱吻將姍姍來遲」，歌詞充滿甜蜜，也透著苦澀，「擁抱我，羞辱我，但請不要忘了我」。在這堆歡快的雜亂曲目中，佩普金還贈我一支小曲，《心寬體胖的老鼠》。他向我擔保，這首歌正是鼓舞士氣的愛國歌曲，萬一發生了全面核子大戰，將給我帶來大大的好運。不過若能為我付出的巨大辛苦付點現金，會使手頭寬裕一些，因為我已經與那個狐狸精訂了婚，她發出暗示，冬天沒有長及地面的貂皮服裝，就將以武力相威脅。

六月十日：我面臨一些職業上的問題。我發現作為精神科醫生，我屬於「親手診斷」類型，這本屬正常。可是背了這麼繁重的包袱是有點過分。一天夜裡，我勞累了一天為患者進行精神分析之後，正在酣睡。突然，佩普金妻子慌亂之中打來電話。她一邊講話，一邊用催淚噴霧劑鎮住佩普金。顯然她對他新譜的感傷流行歌曲《請來一盤傷感的心》批評了一番，說這首歌最好的用途，是拿來試一試他們新買的碎紙機。我明白，果我報警，各家小報就會大肆宣揚，收費昂貴的費博曼給這個正經的行業帶來什麼影響。所以我還只穿著內衣就衝出樓房，過了五十九街大橋來到佩普金住的地方。只見丈夫和妻子正站在廚房餐桌各自一邊對峙著，尋找下手的機會。瑪達·佩普金手持一罐催淚噴霧劑，佩普金握著他從謝亞球場棒球日得來的紀念品。

我確信此時話說得要十分堅定。於是我站到兩人中間，特意清了清嗓子。正要說話，佩普金的球棒就朝他老婆揮了過來。隨著一聲全壘打的清脆聲響，球棒恰恰擊中我腦袋。我踉踉蹌蹌，以為眼前是一片璀璨星空，便笑容滿面朝前撲去。我還記得自己被送到附近的醫院急救室，馬上又轉到「自生自滅室」。

一個同事稱我是「希波克拉底式的獻身，痴呆般的行為」。而且我這樣做回報無幾，手頭困窘，看不到任何鈔票的影子，卻累積了一百多首賣不動的歌曲。我拜訪的音樂行家中，沒有一個從音樂劇歌曲中看到一線希望，比如《來些荷爾蒙》，或是高雅的敘事歌曲《早期失智》，也讓我閃過一絲念頭：也許佩普金成不了下一個歐文・柏林。我擁有的《食品店裡都新鮮》也是賺不到一個銅板，但其中「油炸菜包和美好願望，只給青年品嘗」一句，卻讓我哭笑不得。

十一月四日：我已經得出結論：佩普金毫無才能，純屬白痴。缺口越開越大，我還發現，我為增加個人收入而建造的一系列避稅機關，開始被國稅局盯上了，他們將其當成艾爾・卡彭[77]的翻版。財政部喜出望外，一一清算，奪走了等於我身價八倍的資產。我是收到傳票時才得知

77 艾爾・卡彭（Al Capone，1889-1947）：美國芝加哥黑幫首領，美國政府始終找不出其犯罪證據，後藉由逃稅罪名義將他逮捕。

的這一消息，呼吸都變短了。所以我給佩普金解釋說，我再也不能為他免費治病了。我們講話時，聯邦執法官還正在往外搬出我的家具。佩普金被我付錢治病的要求深為觸動，不再來看病，但聽從他某位奸詐好友的慫恿，向法院告我行醫不當。

我的小尤物在波道夫．古德曼商店停止讓她賒賬後，無法應付突如其來的節衣縮食的艱苦生活，便把我拋在一邊，換了一個患厭食症的四眼狼。這個無賴才二十五歲，因發明電腦晶片專利，在《富比士》編列的某種排名名單上，比汶萊蘇丹還高出七級。可是我只剩下一堆樂譜，其中有《托斯卡尼的地蠶》和《洞穴學家的舞會》等。我設法賣掉這些累贅東西，卻毫無成效。我甚至問過廢紙回收廠，如果整批賣給他們會是什麼價錢。但是佩普金的遺毒還沒結束，來了個沃爾夫．西爾弗格萊德的傢伙。此人是隻獵犬，幻想著他能把希臘喜劇《利西翠妲》寫成音樂劇，改稱「現在不能，我患頭痛」。他覺得這件古董正巧在公有領域，如加上一些輕快的現代歌曲，會讓我們都成為大亨。他聽到傳聞，知道我擁有大量未發表的歌曲，可以用來賺點快速之財。最後我放棄了版權，把一批能哼哼的小曲給了西爾弗格萊德，換得其中的一些股份，還有一台老式的黑白電視機。隨後，他的作品投入製作，裡面用的全是默里·佩普金的歌曲。其中最好聽的是一首感傷的流行歌曲，名叫《斜體字我後加》。歌詞中響亮地唱道「你真棒，像陳釀，我愛你（斜體字我後加）」。

音樂劇上演後，評論好壞不一。《屠夫雜誌》表示喜歡，《雪茄雜誌》也說喜歡。各家日報以及《時代》和《新聞週刊》則看法一致，較有保留，一位評論家的話最有代表性，說得簡明扼要：「低能的產物。」在一片負評以及充滿生命威脅字眼的廣告紙條雪片般飛來後，西爾弗格萊德像折折疊椅那樣迅速地收拾了他的奢侈品，以光子速度消失了，剩下我來面對雪崩般的控告抄襲投訴信。

看來，經專家鑑定，藝術大師佩普金的最佳作品，也比一些不起眼的作品，如《靈與肉》、《星塵》，甚至以「從蒙特祖馬殿堂」開頭的老軍歌略遜一籌。與此同時，我天天出庭，雖然我眼神遊離，但我實際想的是，如果碰上美國作曲家、作家和發行商協會裡無名的梵谷，我就從自己僅剩的幾件物件中，拿出一把剃刀，把他兩個耳朵都割下來（斜體字我後加）。

線性理論
Strung Out

整個宇宙終於膨脹了，我大為釋然。我開始這樣想，宇宙就是我本人。原來物理學也與煩人的親戚一樣，是個萬事通。《紐約時報》科技版每週二都登載關於大爆炸、黑洞還有原始湯的文章，因此我對廣義相對論和量子力學的瞭解已達愛因斯坦的水平。不過，是達到愛因斯坦．穆吉，一個地毯商的水平。宇宙中有些微小物質只有「普朗克長度」，即一公分的十億分之一的十億分之一的十億分之一的百萬分之一，這些我怎能一點不知？設想一下，你在漆黑一團的戲院裡掉了一個普朗克，找到它要有多難。萬有引力如何起作用？如果萬有引力突然停止，某些餐館是否仍然要求食客著正式服裝？我對物理學的瞭解是，對一個站在海邊的人而言，時間過得比在船上的人要快，尤其是如果船客的身旁還有太太。物理學最新的奇跡是線性理論，人稱「萬能理論」。它甚至能解釋上週發生的事情，詳情如下。

星期五早上起來，因為宇宙正在膨脹，我花了更長的時間才找到睡袍。我上班也晚了，因為上與下的概念是相對的，我乘的電梯直接上了樓頂，可是在樓頂又很難叫到計程車。請記住，人乘坐太空船接近光速時，就會準時上班，甚或提前上班，而且著裝更得體。我終於到了辦公室，去找老闆馬奇尼克先生解釋我遲到的原因。可是離他越近，我的質量就越大。他把這看作是不服從的表現，氣呼呼地說要削減我的工資。其實，與光速比起來我的工資太少了，要是與仙女座星系中的原子數量相比，可說是相當的少。我想把這些告訴馬奇尼克先生。可是他說我沒有考慮到時間和空間本是一回事。他發誓如果這一現象能改變，他就給我調漲工資。我向他指出，既然時間和空間是一回事，既然要用三個小時製作點東西，結果長度又不足六寸，那就賣不出五元以上的價錢。空間和時間是一回事也有好處，如果你前往宇宙邊緣，旅途要用三千地球年，當你回到地球時朋友們早已過世，你就不再需要注射肉毒桿菌了。

回到辦公室，陽光透過窗戶照射進來，我自忖著，如果我們金黃色的大星體突然爆炸，地球就將飛離軌道，穿過無盡的宇宙——所以這也是身上總要帶手機的一個原因。另一方面，如果某一天我以每秒三十萬公里的速度，趕上數個世紀之前誕生的光，我是否就能回到遠古時代，回到古埃及或古羅馬帝國？但是我在古代又能做什麼？我幾乎舉目無親。正想著，我們新來的秘書洛拉．凱麗小姐走了進來。現在人們都在爭論，事物是由粒子組成的，還是由波線組成的。凱麗小姐絕對是波線組成的。看得出來她走到飲水機時，渾身全是波線。這並非說她沒有好的粒子，但是能讓她從Tiffany商店得到各種飾品的，是她的波線。我老婆也是波線多於粒子，但她的波線卻開始有些鬆垂。或許原因是我老婆的夸克太多。實情是最近她好像太接近黑洞的視界，有一部分（當然不是全部）被吸了進去。因此她的體形變得可笑。我希望能通過冷聚變來糾正她的體形。我一直向人們提出忠告：躲開黑洞。因為一旦進入黑洞，就很難再爬出來，很難再欣賞音樂。如若你碰巧掉進黑洞從另一端出來，你大概會得到重生，但是會過分壓縮，無法出門找女孩約會。

於是我接近凱麗小姐的引力場，感覺到我的線性在顫抖。我滿腦子都想用我的微量玻色子，擁抱她的膠子，再穿過一個蟲洞，做些量子隧道掘進。正在此時，我被海森堡的不確定原理弄得委靡不振。要是不能確定她的確切位置和速度，我將如何行事？我若突然造成奇點，打亂空間和時間，該如何是好？人們是如此吵鬧。每個人都會轉頭看過來，我在凱麗小姐面前將無地自容。噢，她有大量暗能量。雖屬假設，但是暗能量總會把我激發起來，尤其是牙齒不齊的女人身上更有激發力。我幻想著要是把她弄進粒子加速器，加入一瓶拉菲酒莊的葡萄酒，哪怕只五分鐘，我就能傍在她身邊，我倆的量子接近光速，她的核子和我的核子就能相擁相抱。當然，恰到此時，我眼睛裡飛進一點反物質，必須用棉花棒除掉。在我幾乎絕望之時，她轉過身來對我說。

「抱歉，」她說，「我正要去打電話買咖啡和小甜點，可是我好像忘記了薛丁格方程，你說傻不傻？剛才還記得的。」

「概率波的演進，」我說，「妳要去訂購的話，我就來一個英式鬆餅，再來點介子和茶。」

「沒問題，」她說，笑得風情萬種，彎成卡拉比—丘流形。我能感覺到，隨著我的嘴唇貼上她濕乎乎的中微子，我的偶合常數侵入她的弱場。顯然，我達到了某種裂變，因為接下來我還記得的是我從地上爬起來，一顆滑鼠砸過來，把我眼睛弄成超新星那麼大。

我想，物理學能解釋一切事物，但就是解釋不了溫柔的女性。我告訴妻子，我得了這麼個發光的膿包是因為宇宙正在縮小，而非擴張，而且我根本就不去理會。

法律之上，床墊之下

Above the Law, Below the Box Springs

威爾頓小溪鎮，位於中部大平原的中心，牧羊人小樹林以北，道博點的左手方向，形成普朗克常數的懸崖峭壁之上。這裡土地肥沃，大部分是在地面上。每年一度從仁慈的上蒼颳來旋風掠過田野，把農人吹得只好放下工作，又把他們吹到幾百里地以外的南方，安頓下來，開幾家精品店。六月的一個星期二，灰濛濛的早上，華許伯恩家的管家康福特．托拜厄斯，十七年如一日地來到華許伯恩家。事實上九年前她就被解雇了，但這並沒有阻止她來工作，華許伯恩一家自從停了她的薪水以來，就更看重她了。托拜厄斯在華許伯恩家工作之前，曾在德州的一個牧場擔任馴馬師（horse whisperer）。當一匹馬對她低語回話時，她的精神崩潰了。她回想：「讓我最震驚的是，這匹馬知道我的社會保險號碼。」

星期二，康福特・托拜厄斯走進華許伯恩家時，這家人正外出度假。（他們偷渡上了一艘開往希臘諸島的遊輪，三個星期來一直藏在水桶裡，水米未進，但是凌晨三點時，他們會溜到甲板上玩沙狐球（Shuffleboard）。）托拜厄斯上樓換燈泡。

「華許伯恩夫人喜歡每星期二和星期五換燈泡，無論是否需要，」她解釋說，「她喜歡新燈泡。床單被單是一年換一次。」

管家一進主臥室，就知道有什麼東西不見了。她簡直不能相信自己的眼睛，馬上就發現有人曾經上床，還把床墊的標籤撕掉了。標籤上寫著：「撕掉標籤屬違法行為，消費者除外。」托拜厄斯打了個冷顫。她的雙腿發軟，難以支撐。有東西告訴她去兒童臥室看看。確確實實，那裡也是一樣，床墊上的標籤被撕走了。現在，她渾身的血液凝固，看到牆上出現一個碩大的黑影橫壓過來。她的心跳個不停，幾乎叫喊出來。正在此時，她看出來這黑影是她自己。於是她下了決心要減肥，然後打電話給警察。

「我從來沒見過這樣的，」警察局長霍默．皮尤說，「這種事情威爾頓小溪從來沒有發生過。的確，以前曾有一個人闖進麵包店，把甜甜圈裡的果醬都吸走了。但是等他第三次犯案時，我們的神槍手就從屋頂上把他打個正著。」

「為什麼？為什麼？」華許伯恩家的鄰居邦尼．比爾抽泣說，「真荒謬，真殘酷，消費者以外的人剪掉了床墊標籤，這是個什麼世界？」

「在這之前，」當地學校老師莫德．菲金斯說，「我出門時，總是把床墊留在家裡，可是現在我只要離開家，不管是去購物還是上館子，我把所有床墊都帶在身上。」

＊＊＊

當天半夜，在通往德州阿馬里洛的公路上，有兩人開著一輛紅色福特飛速行駛。車牌從遠處看像是真的；湊近一瞧，竟是用杏仁糖做的。開車人的右手臂上刺著一行字：「和平、愛情、莊重。」當他把左手臂上的袖子捲起來後，又顯出一行字：「刺印有誤——右手臂不算。」

他身邊是位金髮女郎，如果她長得不那麼酷似阿貝．維高達[78]的話，也算是漂亮。開車人叫博．斯塔布斯，剛從聖昆丁監獄逃出來。他因到處亂扔東西而被監禁。具體地說，他在街上扔了一張巧克力包裝紙，因而被定罪。法官表示因此人無悔過之意，判其兩個無期徒刑。

女人叫多克希．奈許，嫁給一名殯葬員，並與他一起工作。一天，斯塔布斯走進殯儀館想隨便瞧瞧，驚為天人，試著跟奈許搭訕調情，但她當時正忙著火化屍體。不久，斯塔布斯和多克希．奈許開始暗通款曲。雖然她很快就發現，她的殯葬員丈夫威爾伯很喜歡斯塔布斯，願意免費幫他下葬，如果他同意當天就辦理的話。斯塔布斯把他打暈過去，拐上威爾伯的老婆就跑了。但在跑之前，他留下一個充氣的橡皮娃娃，充作威爾伯的老婆。三年過去了，威爾伯．奈許度過了一生中最幸福的時光。有一天他心生疑團，因為他要老婆再幫他添一點雞，但見她突然爆開，在屋裡飛來穿去，越來越小，最後落在地毯上。

＊＊＊

霍默．皮尤沒穿鞋時身高五英尺八英寸。他的襪子連同他的雙腳，都放在一個大旅行箱裡。在皮尤的記憶中自己一直是個警察。他父親是

78 阿貝．維高達（Abe Vigoda，1921-2016）：美國演員，以演出電影《教父》的泰西歐（Tessio）一角著名。

個有名的銀行盜匪。皮尤如想要與父親相處，唯一的辦法是逮住他。皮尤逮捕父親總共九次。他珍惜父子之間的交談，雖然許多次是在兩個人相互射擊時進行的。

我問皮尤，對這案子有何想法。

「要聽我的理論？」皮尤說，「兩個流浪漢，出門去見世面……」接著他唱起了《月河》。他妻子安把飲料端上來，以及五十六元的賬單。正在此時電話響了，皮尤衝了過去。電話裡的聲音傳遍屋子，帶著深深的回聲。

「霍默嗎？」

「威拉德，」皮尤說。打來的是威拉德．博格斯，阿馬里洛的州警。阿馬里洛的州警是一群離不開爆米花的人，他們不僅要體格健壯，還必須通過嚴格的書面考試。博格斯的書面考試兩次未過。第一次是闡述維根斯坦不夠準確，監考警官不滿意。第二次是翻譯奧維德有誤。因為博格斯全身心的投入，這才得到單獨的輔導。他最後完成了珍・奧斯汀論文，在阿馬里洛高速公路摩托巡警中一直是部經典。

「我們盯上了一對，」他告訴皮尤警長，「行跡十分可疑。」

「怎麼可疑？」皮尤又點上一支菸，問道。皮尤知道，吸菸有害健康，所以只吸巧克力香菸。他點燃菸頭時巧克力就化到褲子上，所以他要從警察的薪水中，拿出一大筆錢來清洗服裝。

「這一對進了這裡一家高檔餐館，」博格斯繼續說，「他們點了一大份烤肉，一瓶葡萄酒，還有所有配菜。賬單貴得嚇人，他們要用床墊標籤付賬。」

「逮捕他們，」皮尤說，「把他們帶過來，但別告訴任何人罪名是什麼。就說他們長得很像我們在找的兩名調戲母雞的嫌犯。」

本州法律禁止撕走不屬於自己的床墊的標籤。這條法律要追溯到二十世紀初。當時阿薩・瓊斯因為一頭豬闖進鄰居院子，與鄰居吵了起來。兩個人為搶這頭豬打了好幾個小時。直到瓊斯看清楚那根本不是豬，而是他老婆。鎮上的長者裁決此事，判定瓊斯妻子的面貌，足有豬相，所以不屬誤認。瓊斯大為光火，夜裡衝進鄰居家中，把床墊上的所有標籤都撕了下來。他因此被捕，受到審判。法庭判決書認為，床墊若無標籤，「是對床墊填充物完整無損狀態的冒犯」。

起先奈許和斯塔布斯還拒不認罪，稱自己是口技和木偶演員。到凌晨兩點，兩個涉嫌人在皮尤凌厲的審訊攻勢下，開始露餡。皮尤很機靈，他講的是兩個人不懂的法語，因此，他們就無法輕易撒謊。最後斯塔布斯招供了。

＊＊＊

「月光下，我們把車停在華許伯恩家門前，」他說，「我們知道前門總是開著，但是我們還是破門而入，好使手藝不至於生疏。多克希把華許伯恩家所有照片都翻過去，面朝牆，這樣就不會有任何證人了。我在監獄裡聽韋德．馬拉維說過華許伯恩家的事。馬拉維是個連環殺手，他殺完人就把屍體肢解吃掉。他曾在華許伯恩家做過大廚，但後來被解雇了，因為人們在蛋奶酥裡發現了一個鼻子。我知道撕掉他人的床墊標籤不僅犯法，而且也冒犯上帝。但我一直聽到有個聲音在慫恿我。我要是沒聽錯的話，這聲音來自華特．克朗凱[79]。是我剪掉華許伯恩的標籤，多克希剪掉的是孩子們的床墊標籤。我渾身是汗，屋裡很昏暗。我的童年從頭到尾在眼前閃過。然後是另一個孩子的童年。最後，是海得拉巴的尼查姆王公的童年。」

審判時，斯塔布斯決定自行辯護。但是關於費用問題產生了分歧，造成惡語相向。我訪問了等待死刑的博．斯塔布斯。十年來因多次上

79 華特．克朗凱（Walter Cronkite，1916-2009）：美國最負盛名的電視新聞主持人。

訴，他一直沒有光顧絞架。他利用這段時間，學了一門手藝，成了一名技能高超的飛機駕駛員。死刑最後執行時我正好在場。耐吉公司付給了他一大筆錢買下電視轉播權，把它們的品牌標誌放在他黑色頭罩的前面。死刑是否能起遏止作用目前仍有爭論，雖然有研究也表明，在執行死刑之後，罪犯重新犯罪的機率幾乎下降了一半。

查拉圖斯特拉如是吃
Thus Ate Zarathustra

世上無事能像一位偉大思想家尚未面世之作給人發現那樣，讓知識界興奮不已，讓學術界奔走相告，就如同在顯微鏡下觀察水滴時看到那些東西一樣。我最近造訪海德堡，採買一些現已罕見的十九世紀劍術格鬥中留下的傷痕時，正巧碰上這樣一件寶物。誰會想到有《腓特烈・尼采的健身飲食》存在？吹毛求疵者可能覺得，此書的真偽似乎略有存疑，但仔細讀過此書的人大多認為，沒有一位西方思想家能像尼采那樣，把柏拉圖和普里特金[80]熔於一爐。下面是此書的節選。

脂肪本身是物質，或是物質本質，或是本質的形式。脂肪若在臀部累積起來，則問題頗大。在前蘇格拉底學派中，芝諾認為，體重只是一種幻覺，一個人進食無論多少，其肥胖程度永是從不做仰臥起坐者的一半。古代雅典人著迷於擁有理想的身材。在埃斯庫羅斯一部已經失傳的劇本中，當克呂泰涅斯特拉發現自己穿不上泳衣時，就破了正餐之間不吃零食的誓言，把自己眼睛摳了出來。

只有亞里斯多德才能用科學術語解釋重量問題，在《倫理學》開始部分，他表示，任何人的周長，都等於腰圍乘以圓周率。這一理論一直流行到中世紀。當時阿奎納把若干菜單翻譯成拉丁文，第一家真正好吃的龍蝦屋開張營業。到外面上館子仍為教堂所不齒，代客停車也還屬於貪圖錢財的原罪。

眾所周知，多少世紀以來，羅馬一直視「開放式火雞熱三明治」為淫蕩之首。許多三明治只好合上，在宗教改革之後才再度攤開。十四世紀宗教畫首次描繪了體重超重者給打下地獄，漂泊遊蕩，只能進食沙拉和優格的情景。西班牙人尤其殘酷，在宗教法庭期間，有人若在酪梨裡放蟹肉，便可處死。

任何哲學家都很難解決發胖與內疚問題，直到笛卡兒把大腦和身體一分為二，這樣，身體在大吃大嚼時，頭腦就在思考：管他呢，反正不是我。哲學面臨的重大問題仍然是：如果生命沒有意義，那字母麵湯怎麼辦？萊布尼茨第一個說脂肪是由單子組成的。萊布尼茨注意飲食，鍛鍊身體，但從未擺脫掉自己的單子。至少沒擺脫掉贅在大腿上的單子。另一方面，史賓諾莎吃飯節儉，因為他相信上帝存在於一切事物之中。如果你想著你正在把芥末舀到萬物初因上，那麼，大口吞食餡餅就太可怕了。

---

80 普里特金（Nathan Pritikin，1915-1985）：美國營養學家。

健康飲食與創造型天才之間，是否有關聯？只要看看理查德・華格納，看看他吃些什麼即可。炸薯條、烤起司、玉米片等等，天哪，他的胃口簡直沒有底，但是他的音樂確實很崇高。他夫人科西瑪胃口也很好，但她每天跑步。在《尼伯龍根的指環》系列中，齊格弗里德決定和萊因女郎到外面進餐，豪爽地吃掉一頭牛、兩打雞、好幾塊輪形奶酪和十五桶啤酒。等賬單來了，他卻囊中羞澀。在此要說的是，生活中，人們有權享有一份配菜或是涼拌捲心菜，或是馬鈴薯沙拉。選菜時一定很驚慌，誰都知道，不僅人在地球上的生命是有限的，而且大多數廚房在十點關門。

就叔本華而言，存在的災難主要不在於吃，而在於嚼。叔本華反對一邊漫不經心地嚼花生米或炸薯片，一邊做別的事情。叔本華認為，一旦開始吃零食，人類就會一直吃下去，直至整個世界都是遍地碎屑。康德也同樣誤入歧途。他提議，買飯時每個人應該都點同樣的飯菜，如此，世界會美德當道，實現大同。可是康德忽視了一個問題：如果每個人都點同樣的飯菜，廚房裡，人們就會為得到最後一份魚而爭吵不休。康德曾如此建議：「自己點菜時，就好像為地球上每個人點菜一樣。」但是如果身旁的人不吃酪梨醬怎麼辦？當然，最終是不會有美德食物的，除非把煮得半熟的雞蛋也算進去。總之，我本人的「善惡之彼岸煎餅」和「權力意志沙拉醬」，屬於真正改變了西方思想的偉大菜式，除此之外，黑格爾的「雞肉烤餅」首先用了剩飯剩菜，蘊含著深刻的政治含意。史賓諾莎的「蝦仁炒菜」，無神論者和無知論者都喜歡，而霍布斯鮮為人知的「烤排骨」做法，則依然是個思維之謎。「尼采健身食譜」最了不起的是，贅肉一旦減掉就不再上身，而康德的「澱粉論」則無此效果。

早餐
橘子汁
兩條培根
泡芙
烤蛤蜊
烤麵包
草本茶

橘子汁是橘子顯現出的本質，也即橘子的真性；使橘子具有「橘子性質」，使其味道區別於水煮鮭魚或玉米麵粥。對虔誠者而言，除麥片粥之外，別的一切都讓人心煩意亂。但是，上帝已死，一切毫無禁忌。泡芙和蛤蜊，甚至連辣雞翅，都可以隨意去吃。

午餐

一碗義大利細麵，搭配番茄與香菜

精白麵包

拌馬鈴薯泥

維也納蛋糕

有權勢者吃的總是很豐富，醃製有方，配料充裕；而無權勢者總是啄些麥芽和豆腐，滿以為今生受苦，是為了來世享福，天天烤羊肉。但是我斷言，來世是今生的重複，沒有盡頭；果真如此，那無權勢者，只得永生永世吃些碳水化合物含量低的東西，還有不帶皮的烤雞。

晚餐

牛排或香腸

油炸薯餅
龍蝦醬
冰淇淋加松奶油，或多層蛋糕

這是超人的晚餐。讓那些擔心脂肪酸和不飽和脂肪酸的人們，只為取悅牧師或營養師而吃飯吧。只有超人才知道，鮮嫩的肉和油滋滋的奶酪，配上厚實的甜點，噢，還有多多的油炸食物，正是酒神戴歐尼修斯的最愛，如果不管其消化系統的話。

箴言

認識論使得健身飲食無從定論。如果一切事物只存在於大腦，那麼，我不僅能點任何食物，而且服務也會盡善盡美。

人是唯一一種對侍者板著面孔的造物。

牙醫凶殺案

Pinchuck's Law

在紐約警察局凶殺科待個二十年，兄弟，你就什麼世面都見過了。比如，華爾街某掮客切著花色小蛋糕，還要爭著拿遙控器。還有，失戀的猶太拉比悲觀厭世，把炭疽菌撒在鬍子上，吸了進去。所以當有人報告，濱河小道夾八十三街拐角發現一具屍體，上面沒有彈痕，沒有刀傷，沒有任何掙扎跡象，我根本沒往犯罪電影那方面去想，而是將其歸結於那位吟遊詩人口中的肉體之百患之一，但不要問我是哪一種。

兩天後，蘇活區又出現一具死屍，也沒有任何犯罪跡象。隨後，中央公園出現第三具死屍，我就拿了些右旋苯丙胺藥片[81]，告訴家中嬌娘，這段時間裡我得加班。

「真的很驚人，」我的搭檔邁克．斯威尼邊說，邊在犯罪現場周圍欄上平常用的黃色塑料帶。邁克長得虎背熊腰，很容易讓人看成一頭熊。實際上動物園曾聯繫過他，在真熊生病時到動物園客串。「各家小報都說，這是連環殺手。很自然地，連環殺手聲稱這是歧視，只要有三個以上的人被同一種手段給殺死，人們總是先歸咎給連環殺手。現在，他們要求把這個數字提高到六個。」

「邁克，跟你說實話吧，我從沒見過這種情形。你知道，是我抓住了算命殺手。算命殺手是個惡魔，他作案手法是趁人唱瑞士山歌時偷偷湊近，猛擊人的頭部。很難拘捕他，因為人們特別同情他。」

我告訴邁克如果發現任何吸引人的線索，就打電話給我，接著就奔往停屍房去找我們的法醫山姆．道格斯特，瞭解有關毒藥的事。山姆和我認識已久，當時他還是個年輕的法醫，常在婚禮和少女派對上表演驗屍，賺點菸錢。

「起先我以為兇器可能是個極小的飛鏢，所以，我在紐約全市查找擁有吹鏢筒的人。這根本是大海撈針。誰也想不到，城裡一半人都有這種六尺長的希瓦羅人玩意兒，而且大多數都持有許可證。」

我說可能是毒蠅菌，因為這種蘑菇能致人死命，而且不留痕跡。但是，山姆打消了我這個想法。「只有一家健康食品店賣過真正的毒蘑菇，但好幾年前就關門了，因為人們發現，這些蘑菇不是用有機肥料培養的。」

我謝了山姆，打電話給羅・華生。他在犯罪現場收集了一組十分清晰的指紋，興奮不已，馬上就從另一個警局換來一套相當寶貴的恩里科・卡魯索[82]的指紋。羅說，實驗室查到一根頭髮，還有一塊禿頂。真

81 右旋苯丙胺藥片（Dexedrine）：一種提神興奮藥物。

不幸，頭髮與一個八歲小孩的相配；禿頂可追尋到艷舞場上坐頭排的九名男子頭上。可是這九人都有鐵打的不在場證明。

回到總部，我和班・羅傑斯聊了起來。他常給我指點方向。是他破的「雅皮餐館凶殺案」。在那宗案子裡，受害人都遭槍擊，屍體上薄薄撒了一層石灰和新鮮的薄荷。班耐心等待，直到兇手把新鮮薄荷用光，只好用碎核桃替代。可是碎核桃通過序列號碼就能追蹤。

「跟我說說死者的情況，」我說，「他們有沒有仇敵？」

「當然有，」班說，「但是，他們的仇敵都在棕櫚灘的馬拉戈那裡開『仇敵大會』，實際上，東岸的每個仇敵都參加了。」

我剛離開班，去弄一份三明治，就聽說東邊七十二街垃圾箱裡又發現一具剛出爐的死屍。這一次，屍體絲毫無損，死者是里基・威姆斯，一名年輕演員。他擅長飾演心思敏感的反叛形象，是電視醫療肥皂劇《黑痣變黑》的明星。不過這次案發時，一位無家可歸的女士目擊了過程。汪達・布西金每晚睡在下東區的紙箱子裡，但是最近搬到了公園大道的紙箱。起先她擔心可能得不到准許，但當她的資產淨值超過四元三十分時，就獲准住進了更好的箱子裡。

事發當夜，布西金睡不著，看到有人駕駛一輛紅色悍馬，把一具屍體扔出來後然開走。一開始她不想被捲進來，因為她先前曾指認出一名罪犯，可是這名罪犯把他倆之間的訂婚給解除了。這次她向警察局的素描畫家霍華特・英奇凱普描繪了嫌疑犯的相貌。可是英奇凱普突然發起脾氣拒絕動筆，除非嫌疑犯自己前來，坐到他面前。

我正在和英奇凱普講道理，突然，腦子裡蹦出了通靈師B・J・斯格姆德。斯格姆德是個可憐的奧地利人，在一次划船事故中把名字裡所有母音都丟失了。一九九三年，我曾讓斯格姆德尋找一個飛賊。他很神

82 恩里科・卡魯索（Enrico Caruso，1873-1921）：義大利男高音。

奇地從一百多個流浪漢中指認出嫌犯。現在，我看著他在死者的遺物中仔細翻找，然後就陷入一種恍惚沉思狀態。他眼球擴大，開始講話，但聲音不是他的，而是三船敏郎的聲音。他說我要找的人工作時使用麻醉劑，拿牙鑽整治牙齒。他甚至能明確指出這個人的職業，但他需要一塊通靈板[83]。

我迅速地用電腦搜尋，發現所有被害人都在同一名牙醫處看病。我知道挖到金礦了。我喝了一大杯約翰走路，算是麻醉，又用瑞士軍刀撬出下牙牙洞裡的白銀，隔天早晨，就坐在保羅・平丘克醫生面前張著大嘴等他治牙。

「很快就完成，」他說，「要是你有時間，我應該把旁邊那顆牙也補上。我很驚訝這顆牙竟沒給你添麻煩。反正外面你也沒什麼事。這種鬼天氣，你相信嗎？四月份的降雨紀錄已經打破了，就是全球暖化造成的。因為使用空調的人太多了。我不需要空調。在我們家裡，睡覺時窗戶都開著，天氣最熱時也開著。這樣，我的新陳代謝特別好，我老婆也是。我們的身體調整得很好，因為我們對吃的特別小心。沒有肥嫩的肉，奶製品不多，而且我還健身。我用跑步機，我老婆用台階健身機。我們還都非常喜歡游泳。我們在薩加波納有一棟房子。我們倆通常在漢普頓度週末及春假。我們特別喜歡薩加波納。你要想與人交往，那裡有人，要想獨處也可以。我不是特別會社交的人。我們喜歡看書，基本上她常玩疊紙。以前我們在塔班有個地方。去塔班有好幾條路，但我常走九十五號國道，半小時。不過我們更喜歡海灘。我們剛換了新屋頂。我都不敢相信裝修估價。天哪，那些承包商無論如何都能抓住你。這就和其他事情一樣，一分錢一分貨。我跟我孩子說，生活裡毫無討價還價的餘地。世上沒有白吃的午餐。我們有三個男孩。大孩子六月就十三歲

83 通靈板（Ouija）：一種寫有文字、數字和其他圖像的木板，據說可與神靈溝通。

了。」

隨著平丘克的牙鑽穿透我的牙齒，我開始感覺呼吸不暢，渾身掙扎，快要斷氣。我感覺生命跡象正逐漸消失。當我的一生從眼前閃過，而且是由愛德娜夫人[84]扮演我老爸時，我知道麻煩大了。

四天後，我在哥倫比亞長老會教會醫院急救病房蘇醒過來。

「謝天謝地，你簡直是鐵打的，」邁克．斯威尼站在病床前，湊過來說。

「怎麼回事？」我問他。

「你真走運，」邁克說，「正在你失去知覺時，一位叫費．諾斯沃西的女士看急診，闖進平丘克的診室。她的急症是酒醉之後使用牙線。顯然，她的臨時牙橋脫落，咽進肚裡。你倒在平丘克診室地上時，她尖叫起來。平丘克慌了，轉身逃跑。正巧我們的特警隊及時趕到。」

「平丘克跑了？但他看起來和普通牙醫一樣。他給我治牙，還跟我聊天。」

「現在你最好休息，」邁克說，臉上露出蒙娜麗莎式的微笑。不過蘇富比聲稱這樣的微笑是種仿冒。「你康復後，我跟你解釋清楚來龍去脈。」

如果你想知道這起小小凶殺案進展如何，那就常常看一眼報紙最末幾頁上來自奧爾巴尼的消息，那裡的立法機關將審議一項法案。法案通過後，將成為《平丘克法》，其中規定，任何牙醫如講話不停，或是未經法院事先准許，講話超出「請張嘴」或「請漱口」範圍，因而危及患者生命，均為重罪。

84 愛德娜夫人（Dame Edna）：澳洲男演員巴瑞．亨佛里斯（Barry Humphries）創造和扮演的女性角色。

推薦文

總在千鈞一髮之際得救；或者被推下懸崖

陳德政

有一個老笑話是這樣說的：

有兩個老女人坐在卡茲奇山的一座渡假村裡，其中一個說道：這地方的食物真是糟透了。

另一個回應道：是啊，連分量都給得那麼少。

這個故事基本上總結了我對人生的看法——它充滿了孤獨、悲慘、受苦與不幸，而且，一切都結束得太快了。

——《安妮霍爾》（Annie Hall, 1977）

伍迪．艾倫拍過很多、很多電影，多到那些專賣導演生涯全套DVD的盜版商，每隔幾年都得重新添加一次內容、設計一款新的封面，好跟上艾倫驚人的進度。時至今日，他仍以一年一部的速度穩定量產著，讓人忘了他已是高齡八十的白髮老人了。不過，艾倫的偶像，也是影響他至深的瑞典導演柏格曼，當初可是拍到八十五歲才收手呢，看來，艾倫還有幾哩路要走。

《安妮霍爾》今年（二〇一七）恰滿四十週年，仍是我最鍾愛的一部伍迪．艾倫電影，在它以後，幾乎所有的都會愛情喜劇，都是它的某種變體，從《當哈利碰上莎莉》、《電子情書》，一路演化到《戀夏（五百日）》。可以說，在都會愛情、中產階級的布爾喬亞情調這幾種風格設定中，艾倫的宗師地位，早在一九七〇年代已經建立起來。

但宗師會老，招式終有窮盡之時，轉眼過了四十年，艾倫也成了他在《安妮霍爾》那段影史著名的開場獨白裡挖苦的老人了，近年的作品，似乎愈來愈是找來一些當紅的年輕演員搬演一遍他在三四十年前早已說過的——而且顯然說得更好的故事。

在艾倫的新片讓人略感疲乏的當下，我們回頭閱讀他的短篇故事選集，那種純粹在紙本間與作者相遇的經驗，就像在溢散著熟悉氣味的礦坑裡重新掘出了幾座金礦。你若對他過去的電影如數家珍，他偏愛的題材都在這裡：宗教的虛無與世俗性、對藝術（乃至於藝術史）的消遣、犯罪現場的黑吃黑、對健康或不健康食物的熱愛，以及演藝產業裡的圈內笑話。

其他粉墨登場的，少不了心理治療師與好萊塢巨擘，還有對漂亮女體的迷戀與幻想；不得不說，艾倫對於女人胸部的關注，實在勝過一般的男人。

然而，如果他的電影在你的生命版圖裡並未占據舉足輕重的位置，你翻起這本書，純然是為了一探「短篇故事作家——伍迪·艾倫」的功力，那麼諸如下面這種段落，應該會帶給你一些笑料：

青少年時期，我曾懷疑一切，但最近，翻閱了維多利亞的祕密的商品目錄後，我開始相信最高神靈。……我刮了臉，穿上最莊重的行頭，一件三個扣眼的黑色上裝，任何喪葬儀式中的抬棺人見了都會嫉妒。

如此這般的幽默風格，無疑是很伍迪．艾倫的。

其中我覺得最風趣的兩篇是〈線性理論〉與〈查拉圖斯特拉如是吃〉，前者透過量子力學的觀點，試圖驗證辦公室調情的道德常數，後者則以古典哲學的規範，嘲諷了當代的健康神話。這種偽知識分子（Pseudo-Intellectual）式的挪用與諧擬，以及將高端的知識置放在通俗語境裡建構出一種自嘲的況味，向來是艾倫拿手的把戲。

《亂了套》收錄的十八則短篇故事，十篇是艾倫曾經發表在《紐約客》雜誌上的文章，整體說來，多半採用叨絮的第一人稱敘事口吻，也不乏往來的書信、劇本和分鏡表，甚至法庭上的律師證人攻防戰這些有意思的體例。

綜觀故事的主角與他們交手的對象，大多是城市裡的專業工作者——牙醫、演員、劇作家、神經科醫師，或者替殯儀館編寫悼詞的寫手。這群人每天固定會讀《紐約時報》，感恩節會到Barneys百貨買件老派的三扣眼西裝犒賞自己，遇到無事的午後，會走入公園大道上播放紐奧良爵士樂的咖啡廳，一邊啜飲苦澀的黑咖啡，一邊思索自己的婚姻究竟哪裡出了問題。

艾倫一方面勾勒出這群專業人士的刻板印象，一方面替他們統一搓揉出一種欠缺男子氣概的、安全感略顯不足的、容易上當受騙的，並且總是厄運當頭的集體形象。表面上，他們不夠機靈，遇上各種荒謬的情境總會被聰明人玩弄於鼓掌之間，但又能在千鈞一髮之際，僥倖地逃過一劫。

我們該理解的是，艾倫身為堅定的無神論者，無常乃是他的信仰

（話說，他哪一部電影不是孜孜不倦地在重述這個概念呢？），故事裡的角色縱然得救了，並不代表這輩子從此就對衰運免疫，反之，他如果被命運之神推下懸崖，等在谷底的，也不一定就是萬丈深淵。

以這本書呈現出的世界觀，谷底也許是一條由紅酒滴成的河，佛洛伊德和尼采已經很醉很醉地在那裡游泳了。